D0267680

NIETS AAN DE HAND!

Lees van Petra Messelink ook het spannende boek:
Opgelicht

Eduard uit groep 8 heeft het goed voor elkaar. Zijn ouders hebben veel geld, en hij krijgt de duurste spullen. Maar dan komt de politie aan de deur. Eduard ontdekt dat zijn vader veel te verbergen heeft ...

ISBN 978-90-8543-160-2

Petra Messelink

Niets aan de hand!
Petra Messelink
www.petramesselink.nl

ISBN 978-90-8543-200-5
NUR 284

Foto omslag: iStockphoto
Ontwerp omslag: Beeep grafisch ontwerp bno
Opmaak binnenwerk: Gerard de Groot

Uitgeverij Columbus is onderdeel van Uitgeversgroep Jongbloed te Heerenveen.

www.jongbloed.com

Proloog

De steile, grijze rotswand ziet er om zes uur 's ochtends kil uit. Hier en daar heeft iets groens de kou overleefd, maar veel is het hier boven de boomgrens niet. Sven huivert. Nu gaat het gebeuren! Voor het eerst gaat hij samen met zijn vader in Oostenrijk een rotsklimtocht doen.
'Cool wandje, hè, pap?!' zegt hij stoerder dan hij zich voelt.
'Ja, dit is wel anders dan de wanden in de Ardennen. Maar ik denk dat het best te doen is.' Papa knikt hem bemoedigend toe. Hij laat de rugzak van zich afglijden. Sven doet de zijne ook af. Ze halen de helmen van de rugzakken af en zetten ze op om zich te beschermen tegen vallende stenen. Sven doet handschoenen aan. Dan zwaait hij de rugzak weer op zijn rug. Hij voelt aan het tuig, waarmee hij zich aan de wand kan zekeren. Het zit goed.
'We kunnen gaan', zegt papa. Sven grijpt de eerste steen beet. Heel rustig gaat hij van klem naar klem, tussendoor zorgt hij ervoor dat hij zich goed zekert. Alleen op deze manier kan hij voorkomen dat hij naar beneden valt, als hij misgrijpt.

Ruim honderdvijftig meter hoog is de rotswand. Sven draait zich half om: wat een fantastisch uitzicht! Opeens voelt zijn hoofd licht en draaierig. 'Omhoogkijken,' zegt hij tegen zichzelf, 'je bent er bijna. Die richel nog over, dan ben je er.' Zijn handen grijpen de rand. Hij slaat zijn benen over de richel en kruipt een stukje. Dan staat hij op: hij is er!
Maar waar is papa? Sven kijkt naar de richel. Er verschijnt een hand bij de rand en daarna nog een. Even later staat zijn vader naast hem. Ze lopen naar het kruis dat op de top van de Trog-

kofel staat. Sven doet zijn rugzak af. Papa slaat zijn arm enthousiast om hem heen.
'Wat was dit geweldig!' zegt hij. Sven knikt en hijgt nog na. Zijn benen voelen als spaghetti, slap en trillerig. Hij veegt met de rug van zijn hand over zijn kletsnatte voorhoofd. Hij rilt. Wat heeft hij het opeens koud! Hij haalt een vest uit zijn rugzak. Dat voelt beter. Langzamerhand wordt zijn hartslag rustiger en kan hij weer vrij ademen.

'Hoe vond je dat het ging?' vraagt papa even later.
'Ik vond het eerst doodeng, wilde er wel mee stoppen', antwoordt Sven. 'Maar toen ik hoger kwam, ging ik steeds meer geloven dat ik het zou halen.' Hij zwijgt. Hoe moet hij dat uitleggen?
'Ik snap wat je bedoelt', zegt papa dan. 'Er kan zomaar iets misgaan. Maar deze uitdaging hebben we toch maar volbracht. Je hebt goed doorgezet, Sven. Nooit opgeven, hè, ook al lijkt iets nog zo moeilijk!' Papa houdt zijn hand omhoog. Met een klinkende high five aanvaarden ze de terugtocht.

1

In klas 1H van het Augustinuscollege kun je een speld horen vallen. Iedereen is druk bezig om de wiskundeopdrachten te maken, die net op het digibord zijn uitgelegd. Sven kijkt op van zijn schrift. Zijn blik dwaalt door het lokaal; wat is dit ontzettend saai!
Meneer Boorsma, een leraar met een baard en veel haar op zijn armen, zit vooraan in een hoek achter zijn bureau. Hij kijkt proefwerken na. Zijn rode pen gaat regelmatig naar het papier voor hem.
Svens blik dwaalt verder, naar Eva en Chantal op de eerste rij. Ze hebben hun schriften bijna tegen elkaar aan gelegd. De nerdies! Cijfers is het enige waarover ze praten. Hoewel, dat is niet helemaal waar. Eva kan leraren goed in de maling nemen door met een heel onschuldig gezicht expres iets raars te vragen.
Achter hen zitten Joost en Rob. Die twee zijn bijna verslaafd aan voetbal. Ze zitten in de selectie bij de Zwartemeervliegers en hopen dat ze gescout worden door een profclub.
Sven voelt dat hij niet verder kan rondkijken zonder dat het gaat opvallen. Hij kan nog net zijn buurman Daan van opzij aankijken. Die zit heel ijverig gebogen over zijn schrift te werken. Zijn bruine haren hangen losjes om zijn hoofd. Om zijn mond ligt een glimlach. Vreemd, wat is er nou lollig aan wiskundesommen? Hij geeft Daan een stiekeme trap onder de tafel. En meteen schuift hij een briefje naar hem toe.
Waarom lach je? Wat is er zo grappig?
Daans hoofd schiet bij de schop eerst omhoog en dan kijkt hij naar het briefje. Hij leest het en grinnikt zachtjes. Het is alsof hij wat terug gaat schrijven. Hij houdt zijn pen boven het blaad-

je. Sven richt gauw zijn blik op zijn schrift; hij doet net alsof hij keihard aan het werk gaat. Maar Daan heeft hem door, want opeens voelt hij een stevige por in zijn zij.
'Ik was even aan het kijken of ik een trucje wist om zo snel mogelijk mijn sommen te maken, maar mijn idee werkte niet. Weet jij dan nog een goede grap?' vraagt Daan, net iets te hard.

'Sven, Daan, mond houden!' buldert Boorsma plotseling door de klas. Sven schiet omhoog, hier had hij niet op gerekend. Hij dacht dat de leraar met die proefwerken in Verweggistan zat.
'Het was hier net rustig en nu gaan jullie de boel weer verzieken. Nog één keer en jullie kunnen een briefje bij de dagwacht halen. Ik wil deze proefwerken nog gauw nakijken. Daarna ga ik sommen met jullie doen', snauwt de docent.
Sven richt zijn aandacht weer op zijn schrift. Hij pakt zijn pen en probeert een som te maken. Het is niet slim om nu straf te krijgen, bedenkt hij met een schok. Als je twee keer de les uitgestuurd wordt, krijg je een rode kaart. Dan moet je je de volgende dag om acht uur melden. Dat kan hij niet gebruiken. Het is 's ochtends al zo druk bij het opstaan door dat gedoe met papa.
Sven voelt een por in zijn zij. Hij kijkt Daan geërgerd aan. Snapt 'ie niet dat ze nu echt geen rottigheid moeten uithalen? Straks worden ze eruitgezet.
'Boorsma vroeg je wat', sist Daan. Verdraaid, dat had hij helemaal niet door!
'Wat moet ik doen?' fluistert hij terug.
'Als de heren uitgepraat zijn, zou ik graag het antwoord willen weten van de som op het bord. Ik had jou de beurt gegeven, Sven.' De stem van de leraar klinkt scherp.
Sven is stomverbaasd. Net was de man nog aan het nakijken en nu staat hij bij het bord. Hoe kan dat? Is hij zo lang met zijn gedachten weggeweest? Dat moet bijna wel. Hij kijkt naar de

som. Ah, nee hè, daar snapt hij geen bal van. Toen de sommen aan het begin van de les uitgelegd werden, dacht hij dat hij ze begreep. Maar nu komt hij er zo gauw niet uit.
'Sorry, meneer, ik heb geen flauw idee wat het antwoord is', zegt hij.
'Juist', sneert de wiskundeman. 'Daar was ik al bang voor. Je was met andere dingen bezig. Voor deze keer zie ik het door de vingers, maar de volgende keer kom je er niet zo makkelijk vanaf. Wie weet het antwoord wel?'
Sven zucht van opluchting: gelukkig geen straf! Hij ziet dat Eva de vinger opsteekt. Als hij het niet dacht, natuurlijk weet zij het antwoord! Eva rekent de som vlug voor.
'Prima gedaan', zegt Boorsma. 'Neem een voorbeeld aan Eva, Sven. Meer opletten in de klas is niet verkeerd.'

De schoolbel gaat, tijd voor een leswissel. Sven gooit gauw zijn boek en schrift in zijn rugzak. Hij grijpt zijn potlood en pen en doet die in het voorvak. Dan slingert hij de tas over zijn rechterschouder.
'Hé, kijk eens uit!' Thijs, een lange, blonde jongen, pakt Sven beet. 'Je zwaait me bijna omver met die zware tas van je. Wat heb je bij je? Lood of zo?' grapt Thijs.
'Sorry, man. Ik dacht er helemaal niet bij na', zegt Sven verontschuldigend. 'Ik ben vandaag helemaal nog niet bij mijn kluisje geweest, dus ik heb de boeken er nog in zitten. Maar het was natuurlijk niet mijn bedoeling om jou omver te meppen.'
'Nou, daar is weinig kans op. Ik heb bij judo al de blauwe band. Daar komt meer kracht bij kijken dan bij dat paardrijden van jou', doet Thijs stoer.
'Dat zou je weleens kunnen tegenvallen', grijnst Sven. 'Die pony van mij heeft aardig wat paardenkracht. Wil je het een keer proberen?'
Thijs slaat Sven op de schouder.

'Laten we dit maar een andere keer uitvechten. We moeten nu naar bio. Als we daar te laat komen, gaat Van de Weert zeuren. Ze is al zo snel met briefjes halen. Echt vervelend.' Sven knikt. 'Je hebt gelijk. Kom, laten we snel naar 201 gaan.'

Mevrouw Van de Weert is nog niet in het biologielokaal. De bel gaat.
'Ha, nog net op tijd!' zegt Sven. Hij ploft op zijn stoel en draait naar Daan. 'Waar is Van de Weert eigenlijk?'
'Ze moest nog wat ophalen, zei ze net. We moesten rustig gaan zitten. Kijk, we gaan het vandaag over het menselijk lichaam hebben', wijst Daan.
Sven kijkt naar het skelet dat voor de klas staat. Zo'n geraamte ziet er best bijzonder uit. Leuk dat ze daar les over krijgen.
'Ik ga 'm even van dichtbij bekijken', zegt Sven. Hij loopt naar het skelet van plastic en bekijkt het van top tot teen. Rob komt naast hem staan.
'Wat ziet zo'n hand er griezelig uit', zegt hij.
Sven grinnikt en pakt de hand beet. Hij zwengelt de arm een beetje op en neer.
'Dag mevrouw Van de Weert', zegt hij dan hardop. 'Misschien moet u toch wat meer eten. U ziet er eng mager uit.'
Rob giert het uit.
'Wat is er? Waarom moet je zo lachen?' roepen de andere leerlingen.
'Hij, hij', brengt Rob nog net uit en dan ligt hij weer dubbel.
'Ik gaf mevrouw Van de Weert alleen een hand. Ze is erg mager en vinden jullie ook niet dat ze de volgende keer wat kleren moet aantrekken?' zegt Sven onschuldig.
De hele klas lacht. Sven blijft de arm van het geraamte op en neer bewegen.
'Dag mevrouw Van de Weert', zegt hij nog een keer. Achter hem is de klas ineens doodstil.

'Wat doe jij, Sven', klinkt plotseling de stem van de echte mevrouw Van de Weert. Sven schrikt zo erg dat hij een ruk aan de arm van het skelet geeft. Die laat los en Sven tuimelt tegen een tafel aan.
'Wat is dit voor flauwekul', zegt de lerares ijzig en ze kijkt Sven boos aan.
Ze pakt de arm uit Svens hand en klikt hem weer aan het skelet.
'Dat wordt strafwerk, Sven. Kom aan het eind van de les maar naar mij toe.' Sven buigt zijn hoofd en loopt terug naar zijn stoel. Strafwerk. Balen. Maar hij mag van geluk spreken dat hij niet de klas uit gezet is.
'En Rob', klinkt dan de stem van de lerares. 'Ik ga ervan uit dat jij even schuldig bent, dus jij moet ook nablijven.'

'Ik snap dat jullie dit heel grappig vonden', zegt de biologiedocente na de les. 'En op zich heb ik niets tegen humor in de klas. Maar het had weinig gescheeld of jullie hadden dit kostbare geraamte onherstelbaar kapotgemaakt. Bovendien moeten jullie gewoon van andermans spullen afblijven.' Ze zwijgt even en blijft hen streng aankijken. Sven merkt dat ze ter plekke strafwerk verzint.
'Ik wil dat jullie vóór de volgende les gaan uitzoeken welke organen mensen hebben', zegt ze dan. 'Jullie moeten daar een korte beschrijving van geven. Zoek er ook even wat plaatjes bij op internet en stuur het me toe. Jullie kunnen nu gaan.' De lerares kijkt hen doordringend aan. Sven voelt dat hij nog wat moet zeggen.
'Sorry mevrouw.'

'Zullen we het strafwerk direct even doen?' stelt Rob voor als ze op de gang staan.
Sven schudt zijn hoofd.

‘Ik heb vanmiddag echt geen tijd.’ Hij denkt even na. Hij moet een smoes verzinnen.
‘Ik moet met mijn vader naar de garage. Hij wil een nieuwe auto kopen en we gaan een proefrit maken. Vorige week hebben we de nieuwste Mercedes getest, maar mijn pa was er niet zo tevreden over. Daarom wil hij vanmiddag een proefrit maken in de nieuwste BMW. Ik heb beloofd dat ik met ’m zou meegaan.’ Hij zwijgt even. Het zweet breekt hem uit. Als Rob maar niet doorheeft dat hij de boel hier bij elkaar liegt! Het is stom, maar het moet.
‘Vet man, die nieuwe BMW! Ik heb ’m laatst in een blad gezien. Cool dat je daar een proefrit in gaat maken. Ik zou wel meewillen’, zegt Rob en hij kijkt hem verwachtingsvol aan. Sven voelt dat hij naar een uitnodiging hengelt. Sjips, dat moet niet. Gauw maar iets anders zeggen.
‘Weet je wat?’ stelt hij dan voor. ‘Ik maak het strafwerk wel voor ons beiden. Eigenlijk was het mijn schuld dat jij straf kreeg. Ik mail het wel naar Van de Weert.’
‘Oké’, zegt Rob. ‘Toch vond ik het een steengoede grap van je. En veel plezier met je pa. Ik hoor morgen wel wat je van die nieuwe BMW vond.’
Sven glimlacht even. Ja, het was een goede grap. Maar nu moet hij opschieten. Door al dit gedoe is hij later dan normaal. En dat is niet prettig. Mama zit vast op hem te wachten.
‘Ik moet me haasten’, zegt hij dan. ‘Ik zie je morgen.’

2

'Kijk uit!' Sven schreeuwt naar zijn vader, maar het geluid van metaal tegen metaal overstemt zijn kreet. Hij wordt stijf tegen de stoel van de BMW gedrukt. De autogordel snijdt in zijn rechterschouder. De airbags ontploffen. Sven hapt naar adem. Weer een klap. De auto schuift met een hoop kabaal in de auto voor hen. Hij kijkt opzij naar zijn vader. Die zegt niets. Hij ligt met zijn hoofd op het stuur, de airbag is half uitgeklapt. Uit zijn donkerbruine haar komt een stroompje bloed. Svens hart slaat een slag over. Zijn vader zal toch niet dood zijn?
'Pap, pap', roept hij. Geen antwoord. Sven voelt dat hij wegzweeft. Hoger en hoger.

Iemand schudt aan zijn schouder. Hij komt bij in de autostoel. Is er eindelijk hulp? Maar die hand, van wie is die en wat moet die van hem?
'Je moet mij niet helpen, kijk naar mijn vader', snauwt hij. Zijn hoofd voelt licht, hij zweeft weer weg. Dan trekt er weer iemand aan zijn schouder.

'Sven, wakker worden! Je moet me helpen.' Het is de stem van zijn moeder. Sven doet zijn ogen open. Hij kijkt verdwaasd rond. Hij zit helemaal niet in de auto, hij ligt gewoon thuis in zijn bed! Hij wrijft in zijn ogen en gromt wat. Zijn hand gaat over het donkerblauwe dekbed. Hij voelt aan zijn voorhoofd. Zweet. Sven haalt een keer diep adem en dan beseft hij: het is weer gebeurd. Soms gaat het een paar weken goed, maar dan heeft hij toch weer een nachtmerrie over dat vreselijke ongeluk.

'Sven, word nou wakker. Ik kan papa niet alleen naar de wc brengen. Je moet helpen!' Z'n moeders stem klinkt dringend.

Ze blijft aan zijn schouder rukken. Ze pakt zijn kin vast. Sven doet zijn ogen weer open, hij kijkt mama aan. Ze heeft een roze nachthemd aan. Haar blonde lange haar staat alle kanten op en haar ogen staan streng. Ze laat zijn kin los. Hij schudt zijn hoofd heen en weer. Ja, hij is er. Hij is wakker.
'Sorry mam, ik heb heel stom gedroomd, maar ik kom je helpen', zegt hij met schorre stem. Zijn keel voelt kurkdroog. Hij gooit het dekbed van zich af en slaat de benen over de rand van z'n bed. Hij zit even stil. Zijn hoofd voelt zo raar. Hij zucht een keer heel diep, dan kijkt hij op zijn wekker. Snert, het is nog maar kwart over zes. Hij had nog een halfuur kunnen slapen!
Mama loopt de kamer alweer uit. Bij de deur staat ze stil.
'Opschieten, Sven, misschien is het al te laat.'

Sven schiet in een blauw T-shirt dat over zijn bureaustoel hangt en hij vist slippers onder zijn bed vandaan. Dan rent hij achter mama aan, de gang door, naar de slaapkamer van zijn ouders. De deur staat al open.
In de slaapkamer staat een gewoon bed voor mama en daarnaast het speciale hoog-laagbed van papa. Aan mama's kant staat een nachtkastje met een boek erop. Bij papa staat een hele kast met spullen voor zijn verzorging: medicijnen, allerlei soorten verband, dekjes voor in bed, handdoeken.
Hij loopt langs de achterkant van beide bedden naar zijn vader. Zijn moeder heeft het hoofdeind al omhooggezet. Ze staat bij de schouders van papa. 'Goedemorgen, papa', zegt Sven. Papa glimlacht even. Sven schuift de rolstoel bij het bed. Dan slaat hij de deken van zijn vader terug. Hij pakt de in pyjamabroek verpakte benen beet. De broek voelt nat aan. Sven snuift even. Ze zijn te laat.
Hij kijkt naar mama en ziet dat ze het weet. Mama pakt papa onder de ene oksel vast. Sven steekt zijn arm onder de andere. Met een vloeiende beweging zetten ze papa in de rolstoel.

'Direct naar de douche', zegt Sven. Mama knikt. Papa zegt niets. Sven zwijgt ook. Hij kijkt langs papa, durft hem niet meer recht in het gezicht te kijken. Zijn vader, de man met wie hij vroeger altijd stoere dingen deed, is nu afhankelijk van hem. Sven slikt.
Hij gaat achter de rolstoel staan en duwt die naar de badkamer. Daar zet hij het wagentje op de rem. Zijn moeder hurkt bij de rolstoel. Sven steekt zijn armen onder de oksels van zijn vader en tilt hem een stukje omhoog. Mama trekt aan de pyjamabroek. Eerst lukt het niet, maar dan gaat de natte broek toch uit. Sven pakt de douchestoel. Drie tellen later zit papa erin.
'Vanaf nu doe ik het verder, Sven. Ik roep je wel als ik je weer nodig heb', zegt mama.
'Oké.' Sven loopt snel weg. Gelukkig, hij hoeft niet te helpen bij het douchen. Het is al erg genoeg dat hij papa soms op de wc moet zetten, maar het kan niet anders. Als hij niet zou helpen, zou papa in een tehuis moeten wonen met allemaal gehandicapte mensen. Overdag kan mama zich in haar eentje net redden bij de verzorging van papa, maar 's avonds en 's nachts lukt dat niet.

Sven rilt. Het leven is niet meer zo leuk als vroeger. Na het ongeluk heeft papa lang in coma gelegen. Ze dachten dat hij dood zou gaan. Maar papa bleef leven. Toen hij uit coma kwam, moest hij in een verpleeghuis veel dingen opnieuw leren: eten, drinken. Zelf lopen kan hij niet meer. Papa, die gek was op buitensporten – hoe stoerder hoe beter – zit voor altijd in een rolstoel.
Raar, nog maar een halfjaar geleden was alles anders. Papa was nog 'gewoon'. En hijzelf zat in groep acht, en was alleen maar bezig met de musical, paardrijwedstrijden en een klimcursus. Wat cool was het om met papa samen rotsklimmen te leren! Eerst aan een wand in een klimhal, toen in de Ardennen en uit-

eindelijk in Oostenrijk. Sven schudt zijn hoofd. Niet aan denken, dat helpt toch niet.

Hij loopt zijn kamer in, laat de deur op een brede kier staan. Zo kan hij mama horen roepen, als ze hem weer nodig heeft. Hij ploft languit neer op zijn bed. Slapen. Heel even, totdat mama hem weer nodig heeft.

Hij rent over het schoolplein. Het is een warme dag. Hij voelt dat hij zweet. Maar hij trekt zich er niets van aan. Hij is aan het voetballen met zijn vrienden. Martin schiet de bal naar hem toe. Sven neemt hem aan. Hij draait een kwartslag en rent met de voet aan de bal naar het doel. Oppassen, daar komt Lars aan, die kan je altijd heel goed onderuithalen. Sven maakt een schijnbeweging en kan langs Lars schieten. Hij haalt uit en ... De bel gaat.

Sven vliegt overeind. Hé, hij dacht dat hij nog in groep acht aan het voetballen was. Maar de schoolbel blijkt zijn wekker te zijn. Sven slaat op de knop. Het zoemgeluid stopt. Hoe laat is het eigenlijk? Hij duikt met zijn hoofd omlaag naar de vloer, waar de wekker staat. Het is 6.45 uur. Hij kan nog wel heel even blijven liggen. Als hij om kwart over zeven uit bed gaat, haalt hij het eerste uur nog. Hij laat zich terugvallen op zijn kussen en valt meteen weer in slaap.

'Sven, kom je nou?' Sven schiet weer omhoog. Bij het voeteneind van zijn bed staat zijn moeder. Hij kijkt verdwaasd rond.
'Ik heb papa gedoucht. Help je nog even?' vraagt mama.
'Ja, ik kom eraan. Ik droomde dat we nog in ons oude huis woonden.' Het komt er wat aarzelend uit. Mama kijkt Sven gehaast aan.
'Zullen we het daar een andere keer over hebben, Sven? We moeten papa nu helpen en daarna moet jij naar school.'

Mama loopt de kamer uit. Sven schiet in zijn spijkerbroek en loopt naar de badkamer. Zijn vader zit nog in de douchestoel. Hij heeft een onderbroek en een overhemd aan. Zijn natte haren zijn keurig gekamd en hij ziet er beter uit dan net.
'Ha, pap, klaar voor deze dag?' zegt Sven opgewekt, terwijl hij op papa af loopt.
'Bijna. Als je me nog even helpt, kan mama me een broek aantrekken.'
'Klaar', zegt mama. 'Nu moeten we papa nog even in de rolstoel zetten.'
Mama rijdt papa de badkamer uit. Ze sluit de deur.

Sven kleedt zich aan. Hij kijkt op zijn horloge. Kwart voor acht al! Het is veel later dan hij dacht, hij moet echt racen, anders komt hij te laat. Hij rent naar zijn slaapkamer, veegt de schoolboeken van zijn bureau in zijn rugtas. Dan spurt hij naar de woonkeuken. Papa zit in zijn rolstoel aan tafel. Mama staat in haar nachtjapon bij het aanrecht.
'Ik ben hartstikke laat, mam, zou jij voor mij vier boterhammen met kaas kunnen klaarmaken? Dan zet ik mijn fiets alvast buiten.' Zonder een antwoord af te wachten, rent hij naar de gang en grist de jas van de kapstok. Hij staat net met zijn fiets buiten als mama met de broodtrommel en thermosfles komt aanlopen.
'Dank je, mam', zegt hij. Hij propt alles in zijn rugzak. Dan springt hij op zijn fiets, zwaait nog even en zet het op een racen.

Terwijl hij de straat bij school in scheurt, hoort hij een schoolbel gaan. Hij kijkt op zijn horloge. Kwart over acht, de eerste bel. Hij kwakt zijn fiets in het eerste rek in het fietsenhok en loopt bij de ingang van school bijna de conciërge van zijn sokken.

'Sorry, meneer', roept hij over zijn schouder.
'Eerder je bed uit komen', bromt de man.
'Die is chagrijnig! Hij moest eens weten!' scheldt Sven in zichzelf. Hij rent door, naar zijn klas. Net als de tweede bel gaat, ploft hij op zijn stoel in de klas.
'Je hebt je jas nog aan', zegt Daan. Hij zit al op z'n vaste plek. 'Ben je niet langs je kluisje geweest? En wat zit je enorm te hijgen, je lijkt wel een oude stoomlocomotief.'
'Ik heb me afschuwelijk verslapen', hijgt Sven. Zijn hersens beginnen op topsnelheid te draaien. Niemand op deze school weet van zijn vader en dat moet ook maar zo blijven! Als ze het zouden weten, vinden ze het net als vorig jaar op de basisschool zielig voor hem. Dat was zo stom! Het is beter om maar weer een leugen te gebruiken. Hij is er inmiddels goed in geworden.
'Ik lag nog vet lekker in mijn bed, man. Het is gisteravond laat geworden. M'n pa en ik hebben plannen voor de voorjaarsvakantie gemaakt, we gaan dan weer rotsklimmen in de Ardennen.'
Daan kijkt Sven bewonderend aan.
'Wow, ik wou dat mijn pa dat met mij ging doen. We gaan altijd naar dezelfde camping in Frankrijk. Dat vinden mijn ouders al een groot avontuur. Jij hebt echt een fantastische pa, Sven!'

3

Het menselijk lichaam heeft verschillende organen. De belangrijkste zijn: het hart, de longen, de nieren, de lever, de alvleesklier. De huid is ook een orgaan, dat het lichaam beschermt tegen uitdroging, onderkoeling en beschadiging.

Sven tikt zijn strafwerk op de laptop. Het is niet eens zo vervelend om dit als strafwerk te moeten doen. Best interessant. *Zelfs de neus is een orgaan. Een reukorgaan.* Sven grinnikt even en googelt verder op 'organen'. Wat kan hij er nog meer over schrijven? Misschien moet hij eerst maar naar plaatjes zoeken. Opeens verschijnt er aan de rechterkant van zijn beeldscherm een chatbericht.

Martin~houdt~van~vakantie: Hé, Sven, hoe gaat 'ie?

Ha, leuk, zijn oude vriend van de basisschool is online. Martin heeft hem al diverse keren uitgenodigd om te komen logeren, maar dat kan niet. Wie moet mama dan helpen?
Sven peinst even boven zijn computer. Wat zal hij intikken? Hij klikt op de tekstwolk.

Sven_heeft_paardenkracht: hey, Martin. Hoe s t?

Martin~houdt~van~vakantie: goed, maar veel hw.

Sven_heeft_paardenkracht: same here. Ook strafwerk gescoord. ☹

Martin~houdt~van~vakantie: cool. Why?

Sven_heeft_paardenkracht: schudde geraamte bij bio de hand. Te hard.

Martin~houdt~van~vakantie: ☺ hoe gaat ie thuis?

Sven_heeft_paardenkracht: gaat wel. Pa is terug uit revalidatiecentrum.

Martin~houdt~van~vakantie: werkt 'ie al?

Sven_heeft_paardenkracht: no. Weenie of ooit kan. Gaat slow. Pa kan nog niet zelf uit bed komen, k moet altijd helpen. & u?

Martin~houdt~van~vakantie: kampioen met voetbalteam. Maar moet gaan. C U.

Sven_heeft_paardenkracht: ok, greetz.

Sven klikt de chat weg. Gauw het strafwerk afmaken, dan heeft hij dat gehad. Cool om Martin even te spreken. Echt stom dat ze elkaar na de verhuizing bijna niet meer zien. Martin en hij, daar kwam niemand tussen ... Hij staart wat voor zich uit.

'Sven!' Sven schrikt op. Dan rijdt hij in zijn bureaustoel naar de deur, smijt die open en roept: 'Wat is er?' Mama loopt door de gang naar Sven toe.
'Wil jij naar papa gaan? Ik ben helemaal de tijd vergeten. Ik moet boodschappen doen voor het avondeten en ik wil ook nog naar de apotheek. Ga je nu bij papa zitten? Het is zo ongezellig voor hem als hij alleen in de woonkamer zit.'
Sven aarzelt. Als hij nu naar papa gaat, komt zijn strafwerk niet af. Maar hij hoeft het vandaag niet te doen. Als hij het maar voor de volgende bioles afheeft. Hij staat op en geeft de

bureaustoel een zet. De stoel rolt terug in de richting van het bureau. Dan kijkt hij naar zijn moeder.
'Ga maar. Ik loop zo naar papa. Even mijn schoolwerk afsluiten. Kunnen we wel vroeg eten? Ik moet vanavond nog naar de manege.' Hij draait zich om, loopt naar zijn bureau en zet de computer in de slaapstand. Hij hoort de hakken van zijn moeder over de plavuizen in de gang klikken. Dan slaat de voordeur dicht.

Papa zit in de rolstoel bij de tafel. De krant ligt voor hem uitgespreid. Sven ziet meteen dat zijn vader de pagina met de overlijdensadvertenties aan het lezen is. Kijken wie er allemaal dood zijn, dat ga je toch niet voor je lol doen?
'Hé pa, kun je niet wat leukere dingen lezen?' vraagt hij en hij wijst naar de advertenties. Zijn vader lacht.
'Ja, het is een rare gewoonte van me om tegenwoordig eerst deze pagina te willen lezen en dan pas naar het echte nieuws te gaan. Je oma was net zo, die keek eerst wie er geboren en gestorven waren. Ach, zei ze dan, ik zie dat Piet van Marie van Klaas er ook niet meer is. Die is toch niet oud geworden.'
Papa zet een hoge, wat bibberige stem op. Hij klinkt nu net zoals oma klonk. Sven herinnert zich die klank nog, ondanks het feit dat oma al twee jaar geleden gestorven is.
'En ik zie dat Nel en Kees eindelijk een eerste kleinkind hebben gekregen. Ze zijn in hetzelfde jaar getrouwd als wij. En zij hebben veel meer kinderen. Dat is niet snel gegaan. Ach, ach.' Papa trekt een grimas terwijl hij die woorden met het beverige damesstemmetje uitspreekt. Sven schiet in de lach, papa lacht mee.
'Je oma was een lieverd, die altijd heel hard gewerkt heeft', zegt papa dan met zijn gewone, diepe stem. 'Het was voor haar niet makkelijk dat opa zo vroeg gestorven is. En ik was haar enige kind, waar ze alles voor overhad. Ze verhuurde kamers aan stu-

denten en maakte bij andere mensen schoon. Op die manier heeft ze mijn studie betaald.' Papa zwijgt even. Sven durft niets te vragen, zijn vader ziet er opeens verdrietig uit.
'Het is maar goed dat oma dit niet meer mee hoeft te maken'. Papa balt zijn vuisten. Zijn stem klinkt scherp en een beetje schor. 'Ze was er altijd zo trots op dat ik een eigen bedrijf had en dat het goed ging. Als ze geweten had in welke ellende we nu niet zijn beland, zou ze heel ongelukkig zijn.'

Het is stil in de kamer. Sven hoort alleen het tikken van de grote Friese staartklok, een erfstuk van oma. Hij kijkt naar papa, die er opeens grauw uitziet. Zijn donkerbruine haar lijkt in het schaarse middaglicht bijna helemaal grijs. Sven krijgt het benauwd, het is alsof er een steen op zijn hart drukt. Hij slaakt een diepe zucht. Het akelige gevoel gaat er niet mee weg. Hij zou willen wegrennen, maar in plaats daarvan zakt hij op de stoel naast papa neer en draait zich naar hem toe.
'Pap', zegt hij dan dapperder dan hij zich voelt. 'Pap, het is nog niet met je afgelopen. Integendeel. Het gaat steeds beter met je, zie je dat niet?' Hij zoekt de blik van zijn vader en dwingt hem naar hem te kijken. Het is weer stil. Sven ziet dat papa's blik intenser wordt, hij kijkt hem met zijn donkerbruine ogen lief aan. Er begint een lichte glimlach om zijn mondhoeken te trekken. Maar als Sven heel goed kijkt, ziet hij dat die glimlach de ogen van zijn vader niet bereikt.
'Je hebt gelijk, Sven, het was veel erger', zegt papa dan. Hij klopt even geruststellend met zijn linkerhand op Svens been. Dan slaakt hij een diepe zucht. 'Nadat ik uit coma kwam, ging het snel beter met me. Maar ik heb het gevoel dat er nu niet meer zo veel vooruitgang in zit. Ik zit maar in deze stoel. Ik kan nog steeds niet voor mezelf zorgen. Dat vind ik afschuwelijk. Ik ben jou en mama zo ontzettend tot last.' Sven weet niet wat hij moet zeggen. Het is waar. Papa is een last.

Het blijft lang stil in de kamer. De klok tikt de minuten weg. Sven merkt dat de stilte hem leegzuigt. Hij moet wat doen, anders wordt hij knettergek! Hij kijkt de kamer rond. Zijn ogen blijven hangen bij de grote kast met boeken en spelletjes.
'Zullen we een potje schaken?' stelt hij dan voor. Papa knikt. Sven staat opgelucht op en loopt naar de kast. Het schaakbord en de schaakstukken liggen op de onderste plank. Hij zakt door zijn knieën om ze te pakken. Gehurkt wrijft hij even snel met de rug van zijn hand over zijn ogen.
Hij pakt het bord en de stukken en loopt naar de tafel. Papa heeft de krant inmiddels opzijgeschoven. Sven zet het spel op de tafel en gaat tegenover papa zitten. Die ziet eruit alsof het gesprek van net helemaal niet heeft plaatsgevonden. Hij kijkt hem aan met een rustige, vriendelijke blik. Sven duwt het doosje met de schaakstukken naar papa, die pakt er eerst de zwarte koning en koningin uit. De overige stukken worden op het bord gezet. Dan schuift papa het doosje met de witte stukken naar Sven.
'Je bent gewaarschuwd, Sven: wit begint, maar zwart wint.'

4

Sven komt na het avondeten bezweet van het snelle fietsen bij de manege aan. Hij zet zijn fiets in het rek en kijkt op zijn horloge. Balen, wat heeft hij weinig tijd, maar twee uur. Gisteren en eergisteren is hij helemaal niet geweest en nu moet hij én zijn pony verzorgen én er ook nog op rijden. Een haast onmogelijke klus. Hij voelt zijn hart snel kloppen, zijn handen voelen klam aan. Rustig worden, zegt hij tegen zichzelf. Kalm aan, want anders gaat het rijden straks ook slecht.

Hij loopt over het manegeterrein naar de zadelkamer in het stallencomplex. Uit zijn kluis haalt hij de halster en de verzorgspullen. Hij loopt naar de box van Chester. Hé, die is er nog niet. Dat is raar. Meestal gaan de paarden en pony's rond een uur of vijf terug naar de stal, maar nu is de box leeg.
Sven loopt met de halster om zijn schouder het stallencomplex uit. Hij slaat linksaf, richting de wei. In de verte ziet hij Chester staan.
'Chester!' Zijn stem schalt over het weiland. De schimmelkleurige ruin komt meteen naar het hek gedraafd. Er staat geen enkel paard meer in de wei.
'Hé, jongen, hoe gaat 'ie? Zijn al je vrienden en vriendinnen al naar binnen?' Sven klopt zijn pony tegen de hals. Dan loopt hij naar het hek, doet het open en gaat de wei in. Hij ziet dat Chester zijn oren spitst. Even lijkt het erop dat de ruin wil wegrennen.
'Kom maar, je hebt vandaag genoeg gespeeld', zegt hij vriendelijk, terwijl hij rustig op de pony afloopt. Hij laat de halster van

zijn schouder glijden, slaat zijn arm om het hoofd van het beest en doet hem voorzichtig de halster om.

'Ik zal je eerst eens flink roskammen', zegt hij terwijl hij Chester in de stal vastzet. Marleen, de manegehoudster, komt met grote passen aanlopen. Zij is echt zo'n rouwdouwer. Ze heeft niets van de kakdames die je weleens op andere maneges ziet rondlopen. Haar blonde haar is kort, bijna jongensachtig. Haar spijkerbroek is vies en heeft hier en daar gaten. Ze draagt een T-shirt met lange mouwen en een bodywarmer. Ze kijkt boos. Ze komt regelrecht op hem af en blijft bij de ingang van Chesters box staan.
'Ik wil even wat tegen je zeggen, Sven', zegt ze streng. Svens hand, die bezig is met het roskammen, valt stil. Hij staart Marleen verbaasd aan. Die vervolgt: 'Misschien kon je bij je vorige pensionstal zo met je pony omgaan, maar hier zijn we dat niet gewend. Je bent al twee dagen niet komen opdagen. De stalhulp heeft jouw pony wel verzorgd de afgelopen dagen, maar dat is niet de bedoeling. Bij onze pensionstal zorg je zelf voor je pony. Als je dat niet kunt doen, moet je het met mij overleggen. Is dat duidelijk?'
Inderdaad heeft hij de afgelopen dagen geen tijd genomen om naar zijn pony te gaan. Dat was niet zijn schuld, hij had er simpelweg geen tijd voor door de verzorging van zijn vader en zijn schoolwerk. Maar hij heeft geen zin om dat nu tegen Marleen te zeggen.
Hij voelt dat hij boos wordt. Tjonge, ze kan zo'n gesprek toch ook wel vriendelijk beginnen? Eerst vragen of er iets aan de hand is? Tenslotte is hij hier de klant. Hij trekt wat met zijn schouders en zegt niets. Marleen blijft hem strak aankijken. Ze wacht duidelijk op een antwoord.
'Sorry hoor, ik wist niet dat je zo streng was', zegt hij dan, opzettelijk wat nonchalant. 'Bij mijn vorige manege deden ze

daar niet moeilijk over. Ik heb je toch al gezegd dat je Chester af en toe best in de lessen mag gebruiken? Nou, dan kun je toch ook zo nu en dan wel een stalhulp voor hem laten zorgen?'
Marleen kijkt hem vastberaden aan. 'Nee Sven, ik had al eerder duidelijk tegen je gezegd dat wij hier zo niet werken. Ik heb mijn eigen pony's en paarden voor de lessen. Ik heb jouw pony niet nodig. Dus ik verwacht van jou dat je maatregelen gaat nemen. Is dat duidelijk?' Zonder zijn antwoord af te wachten, draait ze zich om en loopt weg.

Dit kan hij er niet bij hebben. Snapt dan niemand hoe moeilijk hij het heeft? Sven gaat als een razende tekeer met de roskam. Het zand van de wei en de haren van zijn pony vliegen in het rond. Chester duwt zijn hoofd ruw tegen hem aan. Het is net alsof hij wil zeggen: doe eens even normaal, dit voelt helemaal niet lekker. Sven schrikt; hij is helemaal niet bezig met zijn paard, maar met zijn eigen gedachten.
'Sorry, Chessie, jij kunt er ook niets aan doen, maar ik baal hier echt van. Ik weet niet waar ik de tijd vandaan moet halen om voor je te zorgen en op je te rijden, maar ik wil je ook niet kwijt. Ik moet iets bedenken.' Svens hand valt even stil, daarna beweegt hij rustiger met de roskam over Chesters rug. Het dier kalmeert onder die aanraking en gaat zelfs met zijn hoofd tegen Svens arm schuren. Hij snuffelt aan de zak van Svens bodywarmer. Daar zitten meestal wel een paar paardensnoepjes in.
'Goed zo, het komt goed. Al weet ik nog niet hoe. Maar ik beloof je dat ik wat bedenk. En zit nu niet zo te schooien. Je krijgt pas na het rijden wat lekkers.' Sven praat rustig door tegen zijn pony. Als hij Chester helemaal geborsteld en zijn hoeven uitgekrabd heeft, pakt hij uit de zadelkamer het zadel en het hoofdstel.
'Kom op, we gaan even lekker rijden. Ik heb er zin in.'

Dit voelt goed. Even niets anders dan Chester en hij. Geen gedoe, alleen maar rijden. Figuren rijden: slangenvolte, halve volte, hele volte, van hand veranderen, stap, draf, stap. Sven klopt Chester op de hals.
'Goed zo, dit gaat heel goed.' Hij geeft zijn pony even een rondje de lange teugel. Dan maakt hij de teugels weer op maat.
'Opletten, Ches.' Hij knijpt in de rechterteugel, geeft daarna een beenhulp voor de draf. Na een paar meter in draf, net na de bocht, geeft hij de volgende aanwijzing: 'Gaaalop!' Chester springt aan in de rechtergalop. Sven voelt de wind door zijn haren gaan. Heerlijk. Na een paar rondjes galop, laat hij zijn pony via de draf teruggaan naar stap.
'Dat was braaf. Goed gedaan.' Sven klopt op de hals van Chester. Hij laat de pony stilstaan en stijgt af. Dan loopt hij met hem aan de hand een aantal rondjes door de bak. Af en toe voelt hij of Chester al voldoende is afgekoeld.
'Nu is het genoeg, Ches. Ik moet weer naar huis. Ik ga je terugbrengen naar de stal.'

Net als hij het stallencomplex in wil gaan, komt er een meisje met lang blond haar aanlopen. Ze draagt rijkleren, heeft in de ene hand een poetskist en onder de andere arm haar cap. Sven kijkt naar haar. Is ze het echt? Hij laat Chester stilstaan en wacht tot het meisje dichterbij komt.
'Eva, wat doe jij hier?' vraagt hij dan.
Het meisje kijkt hem met grote ogen aan.
'Datzelfde kan ik jou vragen', zegt ze dan. Het klinkt bijna een beetje onaardig. Net alsof ze het niet prettig vindt dat hij haar hier ziet. Sven doet alsof hij dat niet merkt.
'Ik heb mijn pony hier gestald.' Sven wijst naar Chester. Eva zet haar poetskist neer en aait Chester over zijn wang.
'Is hij van jou? Ik had hem wel gezien, hij staat hier nog niet zo lang, hè', zegt Eva. 'Het is een mooie ruin.' Sven heeft Eva nog

nooit zo veel woorden achter elkaar horen zeggen. Zeker niet tegen hem. Meestal negeert ze de jongens uit de klas en kletst ze alleen maar met meiden.
'Heb jij hier ook een pony?' vraagt Sven nieuwsgierig. Hij wil weleens weten wat ze hier komt doen en waarom hij haar nog nooit eerder hier heeft aangetroffen.
'Nee, dat kunnen mijn ouders niet betalen. Ik rijd op manegepony's. Normaal gesproken zit ik in de vrijdagles om vijf uur, maar ik had nog een inhaalles tegoed. Die heb ik net in de binnenbak gehad. De pony waarop ik reed, werd door iemand overgenomen.' Ze kijkt Sven met haar blauwgrijze ogen aan.
Chester begint met zijn rechtervoorbeen over de grond te schrapen. Het is net alsof hij wil zeggen: Hallo, ik ben er ook nog! Mag ik even je aandacht? Ik wil wel weer naar mijn stal toe. Sven kroelt met zijn hand door Chesters manen, net op het plekje tussen zijn oren.
'Chester wil naar zijn stal', zegt hij dan. 'Loop je nog mee?'
Eva aarzelt een moment. Dan gooit ze haar lange blonde haar over de schouders. 'Heel even dan, want ik moet nog huiswerk maken.'

5

'Hé, moet je dit eens zien.' Daan houdt een briefje onder Svens neus. Ze staan voor het lokaal te wachten op de docent. De meeste leerlingen zijn al in de klas, maar Daan houdt Sven nog even tegen. Het briefje is een uitgescheurde pagina uit het schoolboekje. Daan heeft er van alles bijgezet.

Schoolregels

1. Leerlingen moeten zich rustig gedragen in school. Daarom mag er in de gangen niet gerend worden *(geeft niet: glijden is leuker)*
2. De lessen mogen niet verstoord worden. Dus geen gefluister in de klas *(inderdaad: schreeuwen werkt beter)*
3. Niet bellen, sms'en of twitteren in de les *(mee eens: gebeld worden is goedkoper)*
4. Niet met propjes of gummen gooien in de klaslokalen *(logisch: boeken komen harder aan)*
5. Als je iets van school kapotmaakt, moeten je ouders het vergoeden *(het is beter om dingen van school heel mee naar huis te nemen)*

Sven schiet in de lach.
'Had je gisteravond niets beters te doen?' plaagt hij.
'Eigenlijk niet', lacht Daan. 'Ik zat op Hyves en zag dat anderen ook zoiets op hun pagina hadden staan. Lachen, joh, wat je allemaal aan regels op Hyves vindt. Bij een andere school moet je de leraren met "u" aanspreken. Iemand had achter de schoolre-

gel "we spreken docenten niet aan met je of jij" gezet: "nee, we noemen ze gewoon hufters". Dat vond ik wel cool. Wat heb jij gisteravond gedaan?' Daan kijkt hem vragend aan.
Sven aarzelt. 'Ik ben naar mijn pony op de manege geweest', zegt hij dan.
'O.' Daan vraagt niet door. Blijkbaar vindt hij paarden maar saai. Zal hij Daan vertellen over Eva? Dat vindt hij vast wel interessant! Maar iets in hem zegt dat hij dat beter niet kan doen.

'Hé, Sven, hoe was de proefrit?' Rob komt aansprinten en slaat even met zijn hand tegen de schouder van Sven. Sjips, dat leugentje over die proefrit. Hij heeft er zelf geen moment meer aan gedacht. Wat moet hij erover zeggen? Het is lastig om iets over een proefrit uit je duim te zuigen en Rob lijkt er wel echt in geïnteresseerd te zijn.
'Proefrit?' vraagt Daan en hij kijkt Sven verbaasd aan. 'Jij hebt toch al een pony, of wil je een andere?'
Rob schiet in de lach. 'Het gaat niet om beesten, joh. Sven heeft gistermiddag met zijn pa een vetcoole proefrit in de nieuwste BMW gemaakt. Ik had wel meegewild. Voelen hoeveel paardenkrachten onder die motorkap zitten. Vet, man!' Rob steekt zijn enthousiasme niet onder stoelen of banken.
Sven haalt diep adem. Wat zal hij zeggen? Dat zijn vader opeens een belangrijke zakenafspraak had, waardoor de proefrit niet doorging? Of dat de garage het nieuwste model BMW toch nog niet binnen had? Dat laatste is een gok. Als Rob echt van auto's houdt, is hij misschien al wel bij de garage langs geweest om naar die nieuwe BMW te kijken. Nee, hij kan beter op safe spelen en zeggen dat de afspraak afgezegd werd. Daarmee loopt hij het gevaar dat Rob gaat drammen om een volgende keer mee te mogen. Dat risico moet hij dan maar nemen.
Hij opent zijn mond om iets te zeggen, maar dan komt de docent science haastig aanlopen. Hij gaat in de deuropening

van het lokaal staan en maakt een uitnodigend gebaar.
'Zijn de heren klaar met het dameskransje? Ik wil met de les beginnen.'

In de les gaat het over chemische reacties. Meneer Wegener staat bij het aanrecht voor in de klas. Hij pakt een fles cola, schroeft de dop eraf en doet een beetje cola in een reageerbuis. Daarna pakt hij uit een doosje wat korreltjes.
'Dit is suiker, dames en heren. Gewone suiker, zoals je moeder die thuis ook heeft.' Hij houdt de hand met de suiker erop even open richting de klas en strooit de suiker in de reageerbuis. De cola gaat nog meer schuimen dan bij het inschenken. Het schuim gaat over de rand van de reageerbuis.
'Dit, beste mensen, noemen we een chemische reactie. Zo'n reactie krijg je als je twee stoffen bij elkaar doet die eigenlijk niet bij elkaar passen.' De docent lacht, z'n bolle buik schudt ervan.
'Bij mensen zie je ook weleens een chemische reactie', grijnst Wegener. 'Jullie zouden dat verliefd-zijn of liefde noemen. Maar het is puur chemie. Meer niet. Bloemetjes en bijtjes. Ik zou daar wel meer over kunnen vertellen, maar volgens mij is dat een ander vak.' Wegener lacht om zijn eigen grap.
'Boeiuh', fluistert Daan tegen Sven. 'Gaan we nog wat zinnigs doen of gaat 'ie door met zijn kleuterproefjes?'

'Nu zijn jullie aan de beurt. Vorm tweetallen en kom dan bij het aanrecht staan. Ik wil wel dat het nu heel rustig blijft, want dit is een serieuze zaak. De proefjes die we doen, zijn niet zo eenvoudig als het testje dat ik net deed. We gaan nu met echt gevaarlijke stoffen aan de gang.' Wegener kijkt streng de klas rond.
'We gaan aan het eind van deze les met wat stoffen uit de zuurkast werken', legt hij uit. 'Het zijn stoffen waar je maar heel

weinig van nodig hebt om een chemische reactie te veroorzaken. Als jullie te veel gebruiken, kunnen jullie de hele school opblazen.'
'Cool', roept Rob spontaan.
Wegener slaat op de tafel. Hij loopt rood aan en zijn ogen lijken wel vuur te spuwen.
'Rob, jij bent kennelijk te jong voor deze les. Pak je spullen en ga je melden bij de dagwacht.'
'Ah, meneer, ik zal echt opletten. Ik maakte maar een geintje.' Rob kijkt de docent smekend aan.
'Nee, kinderachtig gedrag tolereer ik niet in de klas. Nu meteen verdwijnen!' Wegener wijst naar de deur. Rob gooit zijn spullen in zijn rugzak en slentert naar de deur. Boem. De deur valt met een klap dicht.
'Die zit goed dicht', zegt de docent. 'Waar was ik ook alweer gebleven? O ja, we gaan proefjes doen. Is er nog iemand die dit te spannend of te lachwekkend vindt? Zo ja, dan kun je verdwijnen.' De leraar spiedt de klas rond, Sven kijkt mee. Zijn ogen blijven haken bij Chantal en Eva. Ze zitten ernstig voor zich uit te staren. Eva heeft vanochtend helemaal niets tegen hem gezegd toen hij haar in het fietsenhok tegenkwam. Ze liep zwijgend langs hem. Vreemd. Waarom zou ze zo doen?

'Eva en Chantal, komen jullie maar naar voren om een proefje te doen', zegt Wegener.
Sven schrikt op uit zijn gepeins. Hij moet goed opletten, anders weet hij straks niet wat hij moet doen.
De beide meiden doen precies wat de docent zegt. Ze krijgen een kokertje van een ouderwets fotorolletje. Daarin moeten ze tien milliliter azijn doen. Eva houdt het kokertje vast, Chantal giet de azijn erin. Dan geeft de docent een half velletje wc-papier aan Eva. Ze legt het erbovenop en maakt een kuiltje in het papier. Chantal doet er een theelepel bakpoeder op.

Eva doet het dekseltje er weer op.
'Keer het nu maar om, dames', zegt Wegener. 'En pas op, meteen weglopen.' Eva keert het doosje om. Chantal en zij zijn nog maar net weggelopen als er een harde knal klinkt. Het dekseltje vliegt eraf en komt ergens midden in de klas terecht. Er wordt geapplaudisseerd, op de tafels geroffeld en op de grond gestampt.
'Ga maar weer op jullie plaats zitten, dames. Jullie hebben het keurig gedaan. En ik wil dat iedereen nu weer stil wordt', zegt de docent streng.

'Sven en Daan, jullie mogen nu een opdracht doen. Kijk, ik heb hier wat pingpongballetjes. Pak er maar twee.' Hij schuift een doosje vol pingpongballetjes naar hen toe
'Knip die maar eens in kleine stukjes.' De leraar geeft de schaar door aan Daan, die knipt met moeite twee pingpongballetjes in stukjes. Sven ziet dat hij over zijn duim en middelvinger wrijft op de plek waar de schaar zat. Dan krijgt Sven een krant aangereikt. 'Leg de stukjes zo maar in de krant.'
Wegener loopt door de klas. Daan doet stiekem twee hele pingpongballetjes bij de kleine stukjes in de krant. Hij geeft Sven een dikke knipoog. Sven vouwt de krant dicht.
'Doe er maar zilverpapier omheen', zegt de leraar. Hij staat halverwege de klas. Sven doet het zilverpapier eromheen.
'Steek het nu maar aan en loop dan weg', beveelt de docent. Daan pakt de aansteker en steekt het zilverpapier aan. Het vat nog niet zo snel vlam. Eerst komt er alleen wat rook. Wegener loopt naar voren.
Maar dan: een flinke knal, gevolgd door heel veel rook. Sven deinst achteruit. Deze reactie had hij ondanks de vette knipoog van Daan niet verwacht. De leerkracht roept meteen: 'Iedereen de klas uit. Laat je spullen hier liggen en schiet op.' Sven staat stokstijf. Moet hij iets doen? Kan hij helpen?

'Wegwezen, jij ook, Sven. Naar buiten. Opschieten', beveelt Wegener. Sven ziet voordat hij de gang op holt nog net dat de leraar de brandblusser uit de houder trekt en 'm voor zijn buik in de aanslag houdt.

'Cool effect zeg, die extra pingpongballetjes!' fluistert Daan lachend, terwijl hij op de gang naast Sven komt staan. 'Wegener schrok zich echt rot. Nog een geluk dat zijn buik niet uit elkaar knalde.' Sven schiet in de lach. Hij geeft Daan een vriendschappelijke klap op zijn schouder.
'Zag je hoe bang hij was?' grijnst hij. Hij trekt zijn gezicht gauw weer in de plooi als hij de leraar aan ziet komen. Maar het is te laat.
'Ik heb de indruk dat het niet zomaar een foutje was, heren', zegt Wegener boos. 'Gaan jullie je spullen maar uit de klas halen. Ik wil jullie vandaag niet meer zien. Meld je bij de dagwacht.' De leraar draait zich om naar de andere leerlingen. 'De rest van de klas kan weer rustig binnenkomen. De rook is weggetrokken en er is geen vuur.'
Sven en Daan lopen de trap af.
'Dit was nou ook weer niet de bedoeling', zegt Daan spijtig.
Sven haalt zijn schouders op.
''t Is niet anders. Maar ik schrok me eerlijk gezegd wel rot, ondanks het feit dat ik wist dat er wat ging gebeuren. Die knal was wel erg hard.'

De dagwacht kijkt op van zijn papieren, als Daan en Sven voor het loket staan.
'En heren, wat verschaft mij de eer van uw bezoek?' grapt hij.
Ze vertellen van het mislukte proefje. Het gezicht van de dagwacht betrekt.
'Ik vind het niet zomaar een grap, jongens. Het was een gevaarlijke actie. Van tevoren kon je niet weten dat dit goed zou aflo-

pen. Jullie hebben niet alleen jezelf in gevaar gebracht, maar ook je klas en jullie docent. Ik neem het niet licht op. Dit is rood. De straf is een uur lang met de prikstok de omgeving van de school schoonmaken. En ga nu voor de rest van het lesuur naar de mediatheek. Daar kunnen jullie aan je huiswerk gaan werken.'
Sven en Daan lopen zwijgend naar de mediatheek. Opeens bedenkt Sven met een schok dat hij zijn moeder moet laten weten dat hij later thuiskomt. Ze moet iemand anders regelen. Verdraaid, dat wordt geheid een preek!
'Ik moet even naar mijn kluisje', zegt hij dan kortaf tegen Daan.
'Waarom?' vraagt die verbaasd.
'Daarom', zegt hij en hij beent weg.

Bij de kluisjes is niemand. Sven haalt zijn sleutelbos uit zijn rugzak en doet het kluisje open. Dan pakt hij zijn mobiel eruit en tikt hij een bericht voor mama.
Srry, mam. Heb strfwerk. Moet 2day tot hlf vijf op schl corvee doen. Sven.
Even later voelt hij het apparaatje trillen.
Ik zal hulp regelen. Let voortaan op dat dit je niet meer overkomt. We hebben het er thuis nog wel over. Groet, mama.
Sven klikt het bericht weg. Ja, zo'n reactie had hij wel verwacht. Leuk is anders. Hij doet het kluisje op slot en loopt naar de mediatheek.

Direct na het zesde lesuur lopen Sven en Daan naar de dagwacht. Daar mogen ze uit een prikstok en een grijparm kiezen. 'Ik ben goed in dingen grijpen', lacht Daan, 'doe mij dat extra armpje maar.' Sven kiest de prikstok. Beiden krijgen van de dagwacht ook een vuilniszak.
'Veel succes, jongens. Raap al die troep die jullie normaal zo op de grond smijten, maar eens goed op. Ik verwacht jullie met volle vuilniszakken terug over een uur.'

Daan en Sven beginnen op het plein.
'Foei, een blikje. Dat smijten jullie toch niet zomaar op de grond', zegt Sven met een oudedametjesstem. Hij raapt het blikje op en doet het in zijn vuilniszak.
'En, jongeman, roken is slecht voor je gezondheid', bromt Daan met een zware mannenstem. Met de grijparm houdt hij een sigarettenpeuk op. Zo gaan ze het hele plein over. Er verdwijnt veel troep in de vuilniszakken.
Sven kijkt op zijn horloge. Nee, het is nog geen tijd. Ze moeten nog twintig minuten doorwerken, dan pas zit de straftijd erop.
'Ik kam deze bosjes nog wel even uit', zegt Daan en hij wijst naar bosjes die net buiten het schoolplein liggen en waarin allerlei troep zit, zoals lege chipszakjes en plastic flesjes.
'Oké, dan neem ik het fietsenhok. Daar ligt ook altijd van alles.' Sven loopt erheen. Het fietsenhok is groot. Sven begint aan de linkerkant. Er ligt behoorlijk wat, vooral sigarettenpeuken. Dat komt waarschijnlijk omdat er in de school een rookverbod geldt. Dit is kennelijk het rokershol!

Sven bukt zich om tussen de klemmen een blikje weg te halen. Opeens hoort hij een geluid. Is het een dier? Hij spiedt rond. Dan ziet hij haar. Ze zit in een hoekje, verscholen achter een fiets. En ze huilt zachtjes, bijna onhoorbaar. Haar lange blonde haren vallen voor haar gezicht. Het is Eva.
Sven gooit de vuilniszak en prikstok neer en loopt naar haar toe.
'Wat is er? Gaat het niet goed met je?' vraagt hij. Eva doet haar hoofd met een ruk omhoog. Sven ziet schrik op haar betraande gezicht.
'Bemoei je met jezelf', snauwt ze, maar ze kijkt hem onzeker aan.
'Kan ik je ergens mee helpen?' probeert Sven nog een keer.
Eva staat op. Ze pakt haar fiets. De rugzak die naast haar stond,

slingert ze over haar schouder. Sven ziet dat haar achterband zo plat is als een dubbeltje.
'Je band is hartstikke lek. Zal ik plakspullen bij de dagwacht halen? Ik wil die band wel voor je plakken', stelt hij voor.
'Doe geen moeite', zegt ze met een beverige stem. 'Plakken heeft weinig zin.' Ze wijst naar de band. Iemand heeft er een grote snee in gemaakt. Zwijgend wijst ze daarna naar een briefje op haar bagagedrager. Sven trekt het onder de snelbinders vandaan.
Ook al zit je in een andere klas, we krijgen je toch wel, bitch!
Sven voelt de kleur uit zijn gezicht wegtrekken. Wat gemeen, wie doet dit? Hij weet niet wat hij moet zeggen.
'Vergeet dat je dit gezien hebt', zegt Eva opeens nijdig. Ze kijkt hem strak aan. Van het ineengedoken, huilende meisje is weinig over.
'Maar ... eh', stamelt Sven.
'Nee, niets. Je kunt niets doen. Iedereen die zich ermee bemoeit, maakt het alleen nog maar erger. Dat heb ik al vaak genoeg meegemaakt. Ik dop mijn eigen boontjes wel.' Ze trekt de fiets uit het rek. De lekke band maakt een bonkend geluid. Voor Sven het beseft, is ze verdwenen.

6

Svens voeten gaan automatisch op en neer op de pedalen van zijn fiets. Zijn gedachten zijn bij Eva. Wat was dat nou net in het fietsenhok? Eva moet er wel drie kwartier gezeten hebben, zo lang was de les al afgelopen. Waarom deed ze dat? Was ze te bang om weg te gaan? En waarom wil ze zijn hulp niet?

Hij merkt opeens dat hij door al zijn gepieker over Eva steeds langzamer is gaan fietsen. Dat moet niet! Mama zit vast al op hem te wachten. Nu even niet aan Eva denken, maar zorgen dat hij snel thuiskomt.
Hij is gelukkig al in de buurt van zijn huis. Hier in de Goudenregenstraat moet hij naar rechts. Dan langs de flats van de Mimosastraat, om het speeltuintje heen, naar de Blauweregenlaan. Daar beginnen de bungalows. Sven ziet de lage woningen met de grote tuinen al. Nu nog een eindje rechtdoor rijden, dan schiet hij linksaf zijn straat, de Orchideelaan, in. Hij ziet hun nieuwe Renault op de oprit staan. Hé, mama wil zeker nog even weg, want gewoonlijk rijdt ze meteen de auto in de garage als ze weg is geweest. Sven laat zijn fietsbel rinkelen als hij de oprit oprijdt. Maar van achter het raam komt geen reactie. Papa moet toch allang uit bed gehaald zijn? Mama zou hulp regelen.

Sven zet de fiets in de garage. Nog voor hij de deur naar de gang open kan doen, wordt die al van de andere kant geopend. Mama staat in de deuropening. Ze kijkt boos.
'Wat ben je laat, Sven', zegt ze. Ze haalt haar hand snel door haar blonde haar. 'Mia is allang weg. Ik had je zelfs met dat

strafwerk al eerder verwacht. Papa en ik zitten op je te wachten. Dit is echt vervelend.'
'Maar ik kon er echt niets aan doen', begint Sven. Hij wil uitleggen dat hij Eva wilde helpen, maar mama onderbreekt hem.
'Onzin. Je hebt niet voor niets strafcorvee gekregen. Maar daarover wil ik het nu niet hebben. Ik was van plan om met jou en papa een eindje te rijden om ergens te wandelen. Papa zit al zo lang in huis, dat is niet goed voor hem. Hij moet echt meer in de buitenlucht komen en het liefst ook weer onder de mensen. Hij is hier veel te eenzaam. Daar krijgt hij sombere gedachten van.' Ze trekt een dikke rimpel in haar voorhoofd. Sven denkt na. Mama heeft gelijk; papa is de laatste tijd nooit meer blij. Hij zit altijd maar in zijn stoel bij de tafel of bij het raam. Hij leest bijna de hele dag boeken of kranten. Er komt geen mens langs, behalve de dokter en mensen van de thuiszorg, zoals Mia. Maar nooit eens familieleden of iemand van papa's werk.

'Waar wil je heen?' vraagt Sven.
'Ik zat te denken aan dat natuurgebiedje bij de plas. Je weet wel, aan de rechterkant van de weg bij de voetbalvelden. We gaan met de auto. Je kunt daar goed parkeren', zegt mama. 'Maar kom, papa zit al in de rolstoel in de kamer. Ik had hem zelfs al zijn jas aangedaan.'
Sven kwakt zijn rugzak onder de kapstok neer. Eigenlijk heeft hij helemaal geen tijd voor een wandeling. Hij moet nog huiswerk maken en hij wil ook nog naar de manege. Misschien gaat Eva ook wel ... Hij blijft even bij de kapstok staan. Kan hij mama nog zeggen dat hij niet meewil?

'Kom je nog, Sven', roept mama ongeduldig uit de woonkamer. Ze lijkt niet echt in de stemming om hem thuis te laten. Misschien is het verstandig om er niet over te beginnen en gewoon mee te gaan.

'Hallo, pap', zegt Sven, terwijl hij papa een tikje op de schouder geeft. Papa heeft zijn bruine jas aan. Om zijn benen is een donkerbruine deken gedrapeerd. Op zijn hoofd zit een pet. Sven heeft die pet nog nooit eerder gezien. Het staat een beetje raar, bijna opa-achtig.
'Ha Sven, alles goed? Je bent laat', zegt papa.
'We hadden een proefje bij science laten mislukken, waardoor het hele lokaal vol rook kwam te staan', vertelt Sven.
'Nu geen verhalen, Sven', zegt mama, 'we moeten echt vertrekken, anders wordt het voor papa te koud.'
'We kunnen ook een andere keer gaan', stelt papa plotseling voor. 'Ik hoef niet zo nodig ergens heen. Ik heb het hier thuis bij jullie prima.' Papa lijkt bijna opgelucht.
'Nee', kapt mama af. 'We gaan gewoon. Je hebt het echt nodig, Erik. Nu niet terugkrabbelen. We hebben het hier vanmiddag uitgebreid over gehad. Je weet zelf dat je er wat vaker uit moet.'
'Maar misschien heeft Sven hier helemaal geen tijd voor', probeert papa nog.
'Dan maakt hij maar tijd', zegt mama bits. 'Ik vind dat jij er veel te weinig uit komt. En dat is niet alleen mijn mening, maar ook de dokter en Mia maken zich er zorgen over. Je zit maar in huis en je kringetje wordt wel heel klein. Dat kan gewoon niet goed zijn.'
Mama gaat achter de rolstoel van papa staan, haalt de hendels van de rem omhoog en rijdt naar de voordeur. Papa draait zich nog om naar Sven en maakt een soort grimas van 'nou ja, hier kan ik dus ook niet tegenop'.

'Wat is het hier toch heerlijk', verzucht mama als ze een halfuurtje later in het bos naast de plas lopen. 'Wat ruikt zo'n bos lekker. Ik was de geur al bijna vergeten.' Ze kijkt Sven en papa met een glimlach aan. Sven snuift de boslucht op. Ja, het ruikt wel lekker, maar liever was hij thuisgebleven. Hij duwt papa's

rolstoel over het mulle zandpad door het bos en kijkt rond. Hij ziet eiken, kastanjes en berken. Mooie, grote, oude bomen. De bladeren beginnen al te verkleuren. Hier en daar liggen losse bladeren en takken op de grond. Je kunt zien dat het bijna herfst is. De rolstoel zakt ver weg in het zand van het bospad. Sven merkt dat hij veel kracht moet zetten om vooruit te komen. Papa zegt niets. Hij kijkt maar wat rond.
'Hoe voelt het nu om na zo'n lange tijd hier weer te zijn?' vraagt mama even later aan papa. Ze staan stil op een open plek in het bos.
Papa haalt zijn schouders op. 'Wel goed', zegt hij onverschillig. Zijn blik wordt donkerder. Hij ziet er opeens somber uit. Wat zou hij nu denken? Papa was altijd graag in de natuur. Hij vond het heerlijk om lange, stevige wandelingen te maken. Hij was onvermoeibaar. En dan die bergtochten!
Sven bijt op zijn lip. Hij gaat gauw achter de rolstoel staan en duwt de wagen opeens met kracht vooruit. Ze moeten niet blijven stilstaan. Dat is nergens goed voor. Daar krijgt iedereen sombere gedachten van! De rolstoel blijft achter een boomwortel haken. Sven rukt aan het wagentje.
'Gaat het wel, Sven?' vraagt papa bezorgd. 'Ik merk dat je veel kracht moet zetten. Misschien moeten we in het vervolg iets meer gebaande wegen nemen. Het zand is hier eigenlijk te mul voor een rolstoel.' Sven slikt. En slikt. Even wachten, dan kan hij wel weer wat met zijn gewone stem zeggen.
'Ja, dit pad is wel lastig', zegt hij dan zo normaal mogelijk. 'We moeten zo maar het fietspad nemen. Dat is wat makkelijker.'

Het fietspad maakt eigenlijk geen deel meer uit van het bos. Het pad loopt vanaf de hei, langs het bos naar de voetbalvelden.
Sven kijkt op zijn horloge. Kwart voor zes. Op zijn vroegst zijn ze om kwart over zes weer thuis. Dan moet papa uit zijn stoel

geholpen worden en gaat mam eten koken. Met een beetje mazzel staat dat om zeven uur op tafel. Dan zou hij op zijn vroegst om kwart voor acht op de manege kunnen zijn. Dat is hartstikke laat en het is dan ook al donker. Maar hij voelt dat hij het moet doen, ook om zich niet weer de woede van Marleen op de hals te halen. Waarom moesten ze nu uitgerekend vandaag gaan wandelen, hij komt giga in tijdnood! Sven gaat sneller lopen, hij rent zowat.

'Hè, hè', hoort hij mama achter zich puffen, 'je gaat nu wel erg snel, Sven, kan het niet iets rustiger? Ik kan jullie bijna niet bijhouden.' Sven vertraagt zijn pas. Hij kijkt achterom naar mama.

'Sorry mam, maar het is al best wel laat. Ik wil vanavond naar de manege en ik moet ook nog huiswerk maken.' Sven kijkt het fietspad af. Dan ziet hij twee fietsers aankomen. Twee jongens in voetbalkleding. Sven voelt zijn hart in zijn keel kloppen. Het zijn Rob en Joost!

Snel kijkt hij naar voren. Kan hij ergens naar links of naar rechts afbuigen? Nee, het fietspad heeft geen zijwegen. Hij wil niet dat Rob en Joost hem hier zien. Tenminste niet met zijn vader. Zal hij mama vragen om papa verder te duwen? Dan kan hij snel het bos in vluchten. Hij kijkt achterom naar mama. Maar het is al te laat. Joost en Rob fietsen vlak achter mama. Een van beiden laat zelfs de fietsbel al rinkelen.

Sven gaat langzamer lopen. Hij doet zijn schouders omhoog en laat zijn hoofd er een beetje tussen hangen. Met zijn ene hand houdt hij de rolstoel vast. Zijn andere graait naar de capuchon van zijn trui. Hij trekt die snel over zijn hoofd en wendt zijn gezicht af.

Een fietser rijdt al bellend langs. Het is Rob. Sven ziet met een schuine blik dat Rob alleen maar vooruitkijkt. Dan klinkt er weer belgerinkel. Joost stuift langs. Sven heeft net zijn blik weer naar voren gericht. Hij ziet dat Joost een ogenblik opzij

kijkt. Snel doet hij zijn hoofd naar beneden. Hij duikt zo diep mogelijk weg in zijn capuchon.
Joost fietst verder. Sven loopt nog even door met het hoofd omlaag. Als hij weer opkijkt, fietsen de jongens al een stuk verderop. Maar dan slaat hem de schrik om het hart: Joost kijkt om! Zou hij hem toch herkend hebben?
Sven vertraagt zijn pas, mama loopt hem op de hielen.
'Wat doe je nou, Sven', roept ze verschrikt uit. 'Eerst loop je bijna te rennen en nu lijk je wel een slak.' Sven slaakt een diepe zucht. Hij kan mama niet vertellen dat hij niet wil dat Rob en Joost hem zien. Ze weet niet dat niemand op school iets van papa weet. Sterker nog, dat de papa die zijn nieuwe klasgenoten uit de verhalen hebben leren kennen, de papa is van een halfjaar geleden. De stoere man van voor het ongeluk, niet de man die nu zwijgend en ineengedoken in een rolstoel zit.

7

Ik zou nog wel uren kunnen slapen, denkt Sven de volgende morgen als de wekker gaat. Hij heeft vannacht veel wakker gelegen en gepiekerd. Stel dat Rob en Joost gezien hebben dat hij achter de rolstoel liep, wat moet hij dan zeggen? Dat hij met zijn opa aan het wandelen was? Maar wat als Joost gezien heeft dat die man in de rolstoel te jong is om zijn opa te zijn? Zal hij zeggen dat het een oom van 'm is of dat hij vrijwilligerswerk bij een verpleeghuis doet? Welke oplossing Sven ook bedenkt, er is er niet een bij waarvan hij rustig wordt en die het vragenvuur van Rob of Joost zal kunnen doorstaan.

Sven slaat zijn dekbed weg. Hij gaat op de rand van zijn bed zitten. Zal hij zich ziek melden? Dat is alleen maar uitstel, beseft hij, ooit moet hij toch weer naar school. Wat moet hij doen?
Een klop op de deur. Mama steekt haar hoofd om de hoek. 'Haast je maar niet, ik laat papa even liggen. Hij voelt zich niet lekker. Als papa eruit wil, bel ik Mia wel. Jij hoeft vanochtend niets te doen.' Mama's hoofd verdwijnt weer.
Jakkie, moppert Sven in zichzelf. Nu had hij wel een halfuur langer kunnen slapen. Wat is dat nou voor gezeur van papa. Als hij zelf vroeger bij de klimwand iets niet durfde, daagde papa hem juist uit. Hij was altijd degene die zei dat je door moest zetten, ook als het moeilijk werd. Nooit opgeven, Sven! Hij hoort het zijn vader nog zeggen. En wat doet die nu zelf? Hij blijft gewoon in zijn bed liggen. Dat niet lekker voelen, is een smoes. Hij wil er niet uit. Dat is het vast. Gisteren wilde hij ook al niet mee met wandelen! Dat was hartstikke duidelijk. En nu dit. Had hij dat gisteravond niet kunnen bedenken? Dan had

iedereen de wekker wat later kunnen zetten. Balen!
Wat moet hij nu met deze extra tijd? Hij wil juist niet vroeg naar school gaan. Als hij gaat – en hij weet nog steeds niet of hij wel wil – dan vertrekt hij zo laat mogelijk. Hij moet de kans zo klein mogelijk maken dat Rob of Joost hem nog voor de les over gisteren gaat ondervragen.

Het is laat, constateert Sven met een blik op zijn horloge als hij het schoolplein op fietst. Hij moet nu echt haasten, wil hij nog op tijd zijn. Hij zet zijn fiets in het hok, doet de rugtas wat beter op zijn schouders en propt de fietssleutel in zijn zak. Dan loopt hij snel het hok uit. Hij rent naar de hoofdingang.
'Hé, hé, wat heb jij een haast', zegt een stem achter hem. Sven voelt dat zijn hart een slag overslaat. Zijn handen worden klam. Dan draait hij zich om.
'O, hoi, Rob. Ik ben hartstikke laat, daarom ben ik aan het rennen. Ik heb geen zin in een gele kaart.' Sven kijkt Rob aan en zet er dan weer flink de pas in. De eerste les hebben ze op de begane grond, dat is niet ver meer lopen. Rob trekt een sprintje en loopt langs Sven heen. Hij draait zich om en probeert zo snel mogelijk achteruit te lopen.
Nu gaan we het krijgen, denkt Sven. Niets aan te doen. Natuurlijk hebben Joost en Rob hem gisteren gezien! Rob doet zijn mond open, Sven zet zich inwendig schrap.

'Ik had je nog steeds willen vragen hoe die proefrit ging', zegt Rob dan. 'Ik was het gisteren vergeten, maar nu denk ik er opeens aan. Gaat je vader hem kopen?'
Een rilling trekt door Svens lijf.
'We hebben de proefrit nog niet gemaakt', zegt hij dan. 'Mijn vader had plotseling een belangrijke zakenafspraak. Hij heeft de rit daarom afgezegd.'
'Ik dacht al zoiets', stelt Rob en hij kijkt Sven recht aan. 'Ik ben

even bij de BMW-garage van Verweij geweest om naar dat model te kijken. Ik ben er hartstikke benieuwd naar. Maar een van de showroommedewerkers zei dat ze hem nog niet binnen hebben. Hij verwachtte dat 'ie over een week of twee wel binnen zou komen. Waarschijnlijk waren jullie dan toch voor niets gekomen.'
De bel gaat. Opgelucht laat Sven zijn ingehouden adem ontsnappen. Dan loopt hij zonder nog iets te zeggen het klaslokaal binnen en gaat hij gauw op zijn plek zitten.

Boorsma staat voor het bord. Hij kijkt de klas chagrijnig aan.
'Jullie komen telkens op het nippertje of te laat. Dat is echt niet de bedoeling. Ik ga daar maar eens gele kaarten voor uitdelen. Heeft niemand jullie uitgelegd dat je vijf minuten voor het begin van de les al bij de klas aanwezig moet zijn? Alleen op die manier kan de les op tijd beginnen.' Hij kijkt de klas rond. Niemand reageert.
'Zo, de dames en heren zijn vanochtend niet zo spraakzaam. Laten we dat vooral zo houden. O ja, en ik houd niet zo van dat gekauw. Dat is zo'n onsmakelijk gezicht. Het is net alsof je tegen een stel koeien aan zit te kijken.' Hij zwijgt even.
'Het lijkt me dat jullie het ontbijt allang achter de kiezen hebben, dus dat gesmak zal wel door kauwgom komen. Ik wil dat jullie dat nu weggooien.'
Sven verroert zich niet. Hij heeft bijna nooit kauwgom in zijn mond en zeker niet zo vroeg op de dag. Maar Rob, Joost en nog wat anderen lijken haast niet zonder te kunnen. Vreemd dat zij niet reageren! Hij kan zich niet voorstellen dat niemand wat heeft.
'Ik heb de indruk dat de dames en heren vandaag niet willen luisteren naar wat ik zeg', gaat de wiskundeman door. Hij geeft een harde klap op zijn bureau. 'Ik geef jullie nog één kans. Nu de kauwgom eruit en als ik iemand zie kauwen, kan diegene

eruit gaan. Ik heb hier geen zin in!'
Er klinkt geschuif van stoelen. Sven ziet Rob naar de prullenbak lopen. Hij spuugt zijn kauwgom erboven uit. Daarna gaan er steeds meer van zijn klasgenoten naar de bak toe. Het is niet zo'n lekker gezicht, al dat gespuug. Sven voelt zich misselijk worden. Hij wendt gauw zijn blik af en zucht een paar keer diep. Gelukkig, dat gaat nog net goed!
'Als de dames en heren nu zover zijn, heb ik een volgend programmapunt. Zet jullie tafels maar uit elkaar. Ik heb weer eens een prachtige overhoring bedacht.' Boorsma laat een vervelende lach horen. Sven zucht. Hoe verzint die vent het. En dat net op deze ochtend. Hij pakt zijn etui uit zijn rugzak. Inmiddels worden de toetspapieren al uitgedeeld. De leraar zet het digibord aan met daarop de sommen die ze moeten maken. Sven woelt met zijn handen door zijn haar. Weer die sommen waar hij laatst ook al niet goed in was. Hij had er thuis nog even naar willen kijken, maar het is er niet van gekomen. Nou ja, maar proberen er het beste van te maken.

'Het gaat niet goed met papa.' Mama loopt meteen naar Sven toe als hij zijn fiets in de garage zet.
'Ik heb vandaag dokter Oudegaard laten komen, omdat papa weigerde zijn bed uit te komen. Hij wilde alleen maar slapen. Dokter Oudegaard heeft papa net onderzocht en hij vindt dat het niet goed gaat. Hij heeft de indruk dat papa steeds somberder wordt en dat zijn conditie daaronder te lijden heeft.' Mama stort de woorden over Sven heen. Sven ziet dat ze zich zorgen maakt. Haar ogen staan donker en de rimpels in haar gezicht lijken nog dieper dan anders.
'Waar is papa nu?' vraagt Sven.
'Hij ligt nog in zijn bed. Maar de dokter vindt dat hij er wel een poosje uit moet. Ik heb op jou gewacht. Het is ook zo vervelend om Mia in deze situatie te laten opdraven.' Mama kijkt Sven

een beetje hulpeloos aan. Het is net alsof ze nu een besluit van hem verwacht.
'Laten we papa dan maar uit zijn bed halen', stelt Sven voor. Hij laat de rugzak van zijn rug glijden en wil de deur naar de gang openmaken. Maar mama grijpt hem vast aan een mouw van zijn jas.
'Wacht nog even, Sven. Het is voor jou ook goed om te weten wat dokter Oudegaard besloten heeft.' Sven staat stil en kijkt mama aan.
'Papa gaat toch niet weer terug naar het verpleeghuis?' zegt hij dan verschrikt. Mama schudt haar hoofd.
'Nee, dat niet. Papa blijft bij ons. Maar hij moet wel drie keer in de week met de rolstoeltaxi voor dagbehandeling naar het revalidatiecentrum. Daar gaan ze proberen hem door fysiotherapie in een betere conditie te krijgen. Ook gaat hij naar een psycholoog. Hij moet leren hoe hij in deze nieuwe situatie wat van zijn leven kan maken. Dat is voor ons allemaal beter.' Mama laat Svens mouw los. Dan loopt ze naar de deur en stapt de gang in. 'Ik ga papa alvast wakker maken. Kom jij dan zo?' zegt ze over haar schouder.

De volgende morgen is het nog heel vroeg als de wekker van Sven gaat. Even denkt hij dat hij de tijd verkeerd ingesteld heeft, maar dan weet hij het. Hij moet nog eerder dan anders opstaan. Papa moet al om kwart voor acht met de taxi mee naar het revalidatiecentrum. Voor die tijd moet hij gewassen zijn en gegeten hebben. Dit wordt drie keer in de week het nieuwe ritme.
Sven geeuwt, hij strekt zijn lijf helemaal. Wat is het toch afschuwelijk om zo vroeg te moeten opstaan. Hij geeuwt nog een keer. Kon hij maar blijven liggen.
Als hij mama niet zou moeten helpen zou hij iedere morgen zo lang mogelijk in bed blijven, daarna zijn ontbijt naar binnen schrokken en naar school racen. Maar dat is geen optie meer.

Hij voelt dat hij chagrijnig wordt. Altijd moet hij helpen. Zijn moeder doet alsof dat de normaalste zaak van de wereld is. Maar ondertussen heeft hij geen vrije tijd meer.

Op school valt het ook niet mee. De godsdienstles van mevrouw Van Dijk is nogal vaag. Sven kan er geen touw aan vastknopen. Hij snapt niet wat ze nou echt gelooft. Ze lijkt alle godsdiensten wel goed te vinden.
'Liefde,' zegt ze op een gegeven moment, 'liefde is de kern van de meeste religies. Liefde tot de naaste. Liefde tot de godheid. Liefde is zelf bijna een religie.' Ze kijkt met een dromerige blik de klas rond. Dan tekent ze met de pen een groot hart op het digibord.
'Zijn er nog meer dingen die alle religies verbinden?' vraagt ze dan. Haar blik dwaalt door de klas.
'Oorlog', zegt Daan met een uitgestreken gezicht. Sven kan zijn lachen bijna niet bedwingen. Oorlog, hoe komt Daan er zo gauw op? Maar is het wel slim om zoiets te zeggen? Straks wordt mevrouw Van Dijk hartstikke boos!
Ze loopt naar de tafel van Daan.
'Oorlog', peinst ze hardop. Ze kijkt Daan serieus aan en knikt een paar keer instemmend.
'Je zegt: oorlog. Daar moet ik eens even goed over nadenken. Het is een nieuw idee voor mij. Ik moet daar aan wennen. Oorlog is niet mooi. Oorlog is gruwelijk. Religies zijn toch niet gruwelijk bedoeld?' Ze huivert even, dan draait ze zich weer om en loopt naar haar bureau.
'Oorlog als kernwaarde', mompelt ze. Ze gaat aan haar bureau zitten. Heel even laat ze haar hoofd in haar handen zakken. Het is muisstil in de klas. Sven kijkt naar haar gezicht, zou ze echt niet doorhebben dat Daan een geintje maakte?
Met een ruk schuift mevrouw Van Dijk haar stoel naar achteren.

'Ik heb het', roept ze dan opgetogen. 'Je hebt me op een geweldig spoor gebracht, Daan. Oorlog verbindt niet. Oorlog is een effect. Strijd, daar gaat het in de religies om. Strijd om het kwade teniet te doen en het goede te laten zegevieren.'
Sven hoort naast zich een onderdrukt gelach. Daan heeft zijn hoofd in zijn armen gestopt. Zijn schouders schokken. Vanonder zijn armen klinken benauwde geluiden. Sven weet even niet wat hij moet doen. Zelf kan hij zijn lachen ook nauwelijks bedwingen. Hij steekt zijn vinger op.
'Ja, Sven', zegt mevrouw Van Dijk. Er ligt nog steeds een gelukzalige glimlach op haar gezicht.
'Daan heeft het opeens heel benauwd gekregen', vertelt hij. Als hij ziet dat de godsdienstlerares schrikt, voegt hij er geruststellend aan toe: 'Dat heeft hij wel vaker, hoor. Het is niets om u druk over te maken. Maar kan hij naar de wc gaan om wat water te drinken? Dat helpt altijd.' Sven kijkt mevrouw Van Dijk strak aan. Hij wil niet opzij kijken. Als hij nog een keer naar Daan kijkt, kan hij zijn lachen ook niet meer inhouden.
'Ach, wat vervelend. En dat terwijl hij mij zo'n mooi nieuw inzicht heeft gegeven. Ga maar gauw naar de wc, Daan. Misschien kun jij even meegaan, Sven. Dat is wat veiliger, we kunnen niet hebben dat Daan op de gang onderuitgaat.'

Sven slaat een arm om Daans schouders en helpt hem uit de stoel omhoog. Dan lopen ze naar de deur. Daan loopt met gebogen hoofd mee, zijn handen heeft hij nog steeds voor het gezicht. Sven opent de deur van de klas en duwt Daan de gang op. Stikkend van het lachen lopen ze de wc in.

8

'Kan ik je aan het eind van de dag even spreken, Sven?' vraagt de mentor de volgende dag na afloop van de les. Ze houdt Sven tegen, terwijl de rest van de leerlingen al de klas uit loopt.

'Waarom?' vraagt Sven kortaf. Hij voelt zich ongemakkelijk.

Mevrouw Van der Steen kijkt hem vriendelijk aan.

'Ik heb het idee dat het niet zo goed met je gaat. Je ziet er zo moe uit. Is er iets?'

Ze laat een stilte vallen.

Sven denkt na. Hij heeft geen zin om in z'n eentje met zijn mentor te gaan praten. Maar kan hij het weigeren?

'Ik heb na school geen tijd', zegt hij dan. 'Ik moet meteen naar huis.' Hij liegt niet. Hij kan echt niet. Hij moet papa uit bed halen.

'Zullen we dan een andere afspraak maken? Ik kan ook 's morgens voor de lessen beginnen.' Mevrouw Van der Steen kijkt hem vragend aan. Svens gedachten draaien op topsnelheid. Heeft het zin om te zeggen dat er niets aan de hand is en dat hij alleen maar een tijdje slecht geslapen heeft? Hij twijfelt. Als mentor heeft ze natuurlijk toegang tot zijn cijferlijst. Als ze daarop gekeken heeft, moet ze gezien hebben dat het de laatste tijd niet goed gaat.

'Ik kan overmorgen om acht uur wel', zegt hij dan gelaten.

Mevrouw Van der Steen trekt haar agenda naar zich toe en schrijft de afspraak op.

'Ik zie je donderdag. Nog een prettige dag vandaag.' Ze haalt proefwerken uit haar tas en vist een pen uit een etui. Sven gooit zijn rugzak over zijn schouder. 'Tot ziens, mevrouw.'

Chester staat op stal als Sven 's avonds bij de manege komt. De ruin snuffelt meteen aan zijn jaszak.
'Ik heb wat wortels voor je meegenomen. Maar die krijg je straks. Eerst poetsen.' Sven roskamt zijn pony flink. Zo, die Ches, die heeft lekker in de wei gespeeld. Hij heeft ook gerold, want zijn hele vacht zit vol met zand. Als hij hem met de harde borstel kamt, vliegt het zand in 't rond. Hij knippert met zijn ogen. Lastig is dat! Hij laat zijn hand even op de vacht van zijn pony rusten. Goed borstelen is best inspannend. Hij voelt dat hij doodop is. Hij zucht een paar keer diep en duwt zijn hoofd tegen de hals van Chester.
'Baas is moe, Ches. Het is zo druk tegenwoordig. Ik weet gewoon niet meer wat ik moet doen. Ik zou veel vaker bij je willen zijn', fluistert hij zacht. Chester briest zachtjes. Sven woelt met zijn hand door de manen.
'Hé, Sven, kan ik straks even met je praten?' Sven schrikt. Hij kijkt naar de deur van de box. Daar staat Marleen. Sven had haar helemaal niet horen aankomen. Ze ziet er niet zo nijdig uit als de vorige keer. Sven zucht. Weer iemand die met hem wil praten.
'Even de hoeven van Chester nog krabben en dan kom ik', zegt hij.

'Ik vind dat het wel wat beter gaat', zegt Marleen als hij op de bank in haar kantoortje zit. 'Je bent vaker bij Chester, verzorgt hem goed en hij wordt ook nog bereden.'
Sven knikt. Sinds het vorige gesprek met Marleen, doet hij zijn best om zo vaak mogelijk naar de manege te gaan. Dat lukt nu bijna iedere dag. Maar z'n schoolwerk is er wel onder gaan lijden. Bij Chester zijn kost tijd, veel tijd.
'Ik vind dat het nog niet perfect is', stelt Marleen. Sven hoort haar stem van ver komen. Hij is helemaal in gedachten verzonken. Opletten, zegt hij tegen zichzelf. Hij spert zijn ogen wijd

open, krabt wat op zijn hoofd en kijkt Marleen aan.
'Heb je me eigenlijk wel gehoord, Sven?' vraagt ze. Ze kijkt hem doordringend aan.
'Sorry, ik was er even niet bij. Maar ik begrijp wat je zegt. Je hebt gelijk. Ik zou nog veel meer bij Chester moeten zijn, maar ik heb er domweg de tijd niet voor.' Sven kijkt Marleen vastberaden aan. Hij kan haar niet garanderen dat hij vaker komt en dat moet maar duidelijk zijn.
'Ik snap het niet, Sven. Je hebt Chester toch niet voor niets? Als je geen tijd aan een dier wilt besteden, moet je er geen nemen. Je kunt hem verkopen. Ik wil best rondkijken of ik iemand kan vinden die hem wil overnemen, wil je dat?'
'Nee, nee! Ik wil 'm niet kwijt. Chester is het enige leuke wat ik nog heb.' Svens stem klinkt bijna wanhopig. Hij hoort het zelf, terwijl hij de woorden uitspreekt. En hij schrikt ervan, dit wil hij niet! Geen stom jankerig gedoe.
'Wat is er aan de hand, Sven? Ik dacht dat je het rijden en verzorgen van Chester zat was, maar nu twijfel ik.' Sven voelt een brok in zijn keel. Niet huilen, zegt hij tegen zichzelf. Hij slikt. En slikt. Marleen blijft hem afwachtend aankijken. Haar blik is vriendelijk, bijna warm. Hij voelt opeens dat hij aan haar zijn verhaal wel kwijt kan. Ze is nuchter en besluitvaardig. En dat is net wat hij nodig heeft. Hij kan het niet meer alleen. Iemand moet hem helpen.
'Voordat ik Chester hiernaartoe liet overplaatsen, heeft mijn vader een zwaar auto-ongeluk gehad. We waren op weg naar de Ardennen voor een survivaltocht, toen we in dichte mist in een kettingbotsing terechtkwamen.' Sven merkt dat de woorden hem makkelijk van de lippen rollen. Het lucht hem op om eindelijk zijn verhaal een keer te kunnen doen.
'Mijn vader heeft een tijd in coma gelegen. Hij kwam eruit, maar is wel gehandicapt gebleven. Hij kan niet meer lopen. En op dit moment kan hij ook nog niet voor zichzelf zorgen. Mijn

moeder en ik moeten dat doen. Mijn vader heeft door het ongeluk zijn zaak moeten verkopen. Hij gaat nu drie keer in de week naar de dagbehandeling in het revalidatiecentrum, de rest van de week is hij thuis. Ik moet heel vaak helpen. Ik heb nauwelijks meer tijd voor mezelf.'
Sven zwijgt. Tijdens zijn verhaal heeft hij Marleen zien knikken.
'Wat vervelend, joh', zegt ze dan. 'Had het nou even eerder verteld, dan had ik niet zo staan briesen tegen jou. Dat spijt me nou echt.'
Sven lacht.
'Dat geeft niet. Je hebt me er wel door aan het denken gezet.'
'Ja, dat kan ik me voorstellen', zegt Marleen. 'Maar hoe gaan we nu verder, Sven? Je kunt het op deze manier niet volhouden. En eigenlijk is wat je doet, niet genoeg. Ik kan je ook niet aanbieden dat we hier de zorg voor Chester gaan overnemen. Daar heb ik de mankracht niet voor. Als ik dat zou doen, dan zou er een stevig prijskaartje aanhangen en ik ben bang dat je ouders daar niet op zitten te wachten.'
Sven knikt. Nee, zijn ouders kunnen echt niet meer betalen. Hij heeft al vette mazzel dat hij Chester na het ongeluk mocht houden.

'Zou je niet op zoek kunnen gaan naar iemand die graag een verzorgpony wil hebben?' bedenkt Marleen. Sven denkt na. Het is een goed idee om iemand te vragen, maar wie? Iemand uit zijn paardrijles? Er is niemand die hij Chester toevertrouwt.
'Ik heb het!' Marleen springt enthousiast op. 'Ik zag je laatst even met Eva praten. Dat is een heel leuke meid. Ze rijdt al aardig en is wel toe aan een verzorgpony.'
Sven krijgt het warm. Op deze manier heeft hij nog niet aan Eva gedacht. De gedachte dat Eva voor Chester gaat zorgen, staat hem aan. Maar zou ze willen? Opeens ziet hij haar weer in

het fietsenhok staan. Hij mocht zich niet met haar bemoeien, daar was ze heel duidelijk in.
'Nee heb je, ja kun je krijgen', doorbreekt Marleen zijn gedachten. 'Toe, probeer het, Sven. Als ze nee zegt, moet je weer bij me komen. Dan help ik je om een andere oplossing te vinden.'
Ze pakt haar bodywarmer van de rugleuning.
'Ik moet nu lesgeven. Veel sterkte met alles en ik hoor graag gauw van je.' Marleen loopt haar kantoor uit. Sven blijft nog even op de bank zitten. Dan staat hij op.
'Eva', zegt hij zachtjes terwijl hij terugloopt naar de stal. Hij krijgt een warm gevoel. Zou dit de kans zijn om haar beter te leren kennen?

Hij pakt het hoofdstel en zadel uit zijn kluis en zadelt Chester op. De schimmel laat het allemaal geduldig toe. Sven leidt hem naar de binnenbak. Ha, er staan nog hindernissen. Het is een tijd geleden dat hij gesprongen heeft. Eerst even inrijden en dan nog een paar sprongen maken.
Sven kan na een paar rondjes aan niets anders meer denken dan aan zijn pony. Hij rijdt op de eerste hindernis aan. Hup, daar zijn ze er al overheen. Hij draaft naar de volgende toe. Weer eroverheen. Chester begint er lol in te krijgen en als Sven over de derde hindernis gaat, springt hij spontaan in galop aan.
'Rrrrustig', maant Sven zijn pony, terwijl hij hem terugneemt. Dan gaan ze op een muur af. Het is geen echte muur, maar een hindernis. Chester springt aan, maar hij heeft de sprong niet hoog genoeg gemaakt. De muur stort in.

'Het is voor vandaag wel weer genoeg, Chester.' Sven klopt de pony op de hals. 'We moeten nog wat vaker op springen oefenen, want dit mag natuurlijk niet. Je kunt er best overheen, rakker.' Chester briest zachtjes. Sven lacht. Hij buigt zich naar voren en slaat beide armen om Chesters hals.

'Ik heb een leuk nieuwtje, Ches. Misschien gaat Eva binnenkort ook voor je zorgen. Lijkt je dat wat?' De pony hinnikt.
'Dat dacht ik al. Jij wilt wel. Nu zij nog.' Sven gaat rechtop zitten. Dan laat hij zich van zijn pony afglijden en loopt met het dier aan de hand de binnenbak uit.

9

Wanneer zou hij het Eva kunnen vragen? Op school is niet handig, want dan staan er andere mensen om hen heen. Zal hij na schooltijd op haar wachten? Maar wat als anderen dat zien? Dan denken ze vast dat hij verkering met haar wil. Dat moet hij niet hebben. Ze heeft morgen les op de manege, hij zou naar haar les kunnen gaan. Zou ze dat raar vinden?
Sven trommelt met de vingers van zijn linkerhand op zijn stuur, terwijl hij een liedje neuriet. Dan houdt hij zijn hand stil, het liedje breekt hij abrupt af.
Oké, hij gaat de gok wagen. Hij zal het morgenavond op de manege aan haar vragen, maar hoe? Als hij over zijn vader begint, wil ze vast uit medelijden helpen. En daar heeft hij geen zin in. Ze moet het gewoon leuk vinden om een verzorgpony te hebben. Punt uit.
Hij ziet haar vriendelijke, maar afstandelijke gezicht met de mooie blonde lokken voor zich. Eva Malinder. Als ze nu maar wil!

Thuis neemt hij eerst een glas cola. Hij loopt ermee naar de woonkamer. Papa zit aan tafel en leest de krant. Als Sven naast hem komt zitten, schuift hij de krant meteen weg.
'Hoe gaat het op school?' vraagt hij belangstellend.
Sven kijkt papa verrast aan. Wat is het lang geleden dat hij dat op deze manier vroeg! Bijzonder dat het al zo snel beter gaat met hem nu hij naar het revalidatiecentrum gaat.
'Het gaat wel. Heb een paar onvoldoendes staan, maar die werk ik wel weer weg.' Sven werpt een snelle blik opzij. Wat zal hij daarvan vinden?

'Jammer, joh, die onvoldoendes', zegt papa. 'Waar ligt het aan? Heb je het te druk of is het niveau te hoog?'
Sven aarzelt. Kan hij zeggen dat het komt doordat hij altijd moet helpen? Zou papa zich dan niet vervelend voelen? Hij voelt dat hij rood wordt. Wat is dit lastig!
'Het komt door mij, hè?' zegt papa dan. Hij kijkt Sven vriendelijk aan. 'Ik snap het best hoor, je moet hier nu zo veel doen. Maar als het te veel wordt, moet je het echt zeggen. Je moeder en ik verzinnen dan wel een andere oplossing.' Papa slaat zijn arm even om Sven heen.
'Ik heb al een goede oplossing bedacht', zegt Sven dan. Hij glimlacht. 'Tenminste, dat hoop ik.'
Papa kijkt hem vragend aan.
'Ik wil een meisje uit mijn klas vragen of ze voor Chester wil zorgen. Ze rijdt bij mijn manege, maar heeft geen eigen paard. Als zij mij wil helpen, hoef ik niet meer zo vaak naar de manege. Dat scheelt weer tijd.'
Papa zucht. 'Eigenlijk vind ik dat geen leuke oplossing', zegt hij dan. 'Ik weet hoe gek je op paardrijden bent. Voor het ongeluk reed je veel wedstrijden. Nu hoor ik je er nooit meer over.'
Sven knikt.
'Ik wil dat wel weer gaan doen. Maar het is nu echt te druk. Eerst moet het op school weer goed gaan. Daarna zie ik wel verder.' Hij staat op. 'Ik wil voor het eten nog wat huiswerk doen.'
'Prima, Sven. En als het mooi weer is, zal ik mama een keer vragen om me naar de manege te brengen. Ik ben wel benieuwd waar je Chester nu gestald hebt!'
'Cool!' lacht Sven blij.

Na het eten start hij zijn computer op. Even kijken wie er op Hyves online is. Sven loopt langs het rijtje namen: chantalalla, rob+voetbal+is+top, jodocus, altijdprijsmetthijs. Veel klasgenoten, maar die heeft hij vandaag al gezien. Martin is ook online.

Sven_heeft_paardenkracht: hi Martin, hoe is 'ie?

Martin~houdt~van~vakantie: he Sven, lang nie gezien. Hier top, bij jou ook?

Sven_heeft_paardenkracht: gaat wel, weinig vrije tijd door gedoe.

Martin~houdt~van~vakantie: balen!

Sven_heeft_paardenkracht: wil hulp bij Chester. Missch Eva uit klas. Ze zit op mijn manege. Ga morgen vragen.

Martin~houdt~van~vakantie: aha, leuke smoes. ❤ ;-) ?

Sven_heeft_paardenkracht: ☺

Martin~houdt~van~vakantie: wil bij je langskomen. Volgende week?

Sven_heeft_paardenkracht: Cool. Logeren?

Martin~houdt~van~vakantie: Als kan: ☺

Sven_heeft_paardenkracht: vrijdag? kzal overleggen. Als je niets hoort, is t oké.

Martin~houdt~van~vakantie: ben vrijdagmiddag 17.30 uur bij jou.

Sven_heeft_paardenkracht: oké, doei

Martin~houdt~van~vakantie: C U.

Sven zit op de tribune bij de binnenbak. Hij kijkt naar de les van Eva. Ze rijdt vandaag op Moortje, een Arabische merrie. Eva zit fier rechtop. Haar lange haren heeft ze in een paardenstaart, die onder haar bruine cap uit komt. Ze draagt een bruine rijbroek en een rode bodywarmer. Haar blik is voortdurend gericht op de rijrichting. Ze heeft niet door dat hij staat te kijken, of lijkt dat maar zo?
'Hé, Eva!' groet Sven als hij Eva uit de binnenbak ziet komen. Hij staat in het gangpad. Bij het uitstappen van Eva's groep is hij gauw naar het stallencomplex gegaan. Ze knikt naar hem, maar zegt niets en loopt door. Sven gaat achter haar aan. Ze loopt met haar pony de box in en maakt een rondje, zodat het dier dicht bij de voerbak uit komt. Ze doet het hoofdstel af en legt het in de uitgestoken hand van Sven. Dan pakt ze zwijgend de halster aan die hij al in zijn andere hand heeft. Sven voelt zijn hart bonken. Zijn handen worden klam. Dit is het moment om Eva te vragen ... of niet?
'Zal ik het zadel even voor je wegbrengen?' vraagt hij dan. Hij strekt zijn armen uit om het zadel van Eva over te pakken. Ze kijkt hem verwonderd aan.
'Dat kan ik best zelf. Moet jij niet voor je eigen pony zorgen?' zegt ze dan bits. Ze kijkt hem wantrouwig aan.
'Ik ben al bij Chester geweest', zegt Sven. 'En ik weet best dat je alles wel zelf kunt. Maar ik wil je iets vragen.' Hij voelt dat hij een kleur krijgt. Wat is het toch lastig om een meisje iets te vragen. Eva kijkt hem verbaasd aan. In haar blik zit iets afwerends, ziet Sven. Verdraaid, ze zal toch niet denken dat hij ...
'Ik wilde je vragen of je misschien een verzorgpony wilt', zegt hij snel. Aan de blik in Eva's ogen ziet hij dat ze deze vraag niet verwacht had.
'Ik wil eerst deze pony goed verzorgen', zegt ze dan. 'Het is niet zo handig om nu te praten. Zullen we dat straks in de kantine doen?' Ze wacht zijn antwoord niet af, maar loopt langs hem

heen met het zadel over haar arm. In de gauwigheid pakt ze het hoofdstel weer van hem af en doet ze de schuifdeur van de box ook nog dicht. Sven kijkt haar verwonderd na. Hij voelt zich even raar, het is net alsof ze hem afwijst. Hij snapt helemaal niets van haar. Zou het wel zin hebben om nog met haar te praten?
Hij loopt naar de kantine. Marleen zit achter de bar. Sven ploft neer op een van de barkrukken. Hij kijkt snel rond. Er is verder niemand in de kantine. Hij buigt zich voorover.
'Ik heb net geprobeerd Eva te vragen of ze ook voor Chester wil zorgen, maar ze wil nu niet praten', zegt hij een beetje ontdaan.
'Heeft ze meteen al nee gezegd?' vraagt Marleen verbaasd.
Sven schudt z'n hoofd.
'Nee, ze heeft nog niet gezegd dat ze het niet wil doen. Ze wil nu eerst haar pony verzorgen en komt dan hiernaartoe. Dan gaan we erover praten', verduidelijkt hij.
Opeens schiet er een gedachte door zijn hoofd.
'Ik ga aan Eva niets vertellen over mijn vader', zegt hij dan snel. 'Ik wil dat ze voor Chester wil zorgen omdat ze dat leuk vindt. Niet omdat ze mij zielig vindt of zo.'
'Het is geen schande, Sven, om over je vader te vertellen. Mensen krijgen dan meer begrip voor je situatie', vindt Marleen.
Sven schudt heftig met zijn hoofd. Hij wil nog wat zeggen, maar dan zwaait de kantinedeur open. Eva komt binnen, met onder haar arm een cap en in haar hand een poetskist en een zweepje. Ze zet haar spullen op de grond bij een tafeltje. Dan loopt ze naar Sven.
'Zullen we daar even gaan zitten?' vraagt ze, terwijl ze naar het tafeltje wijst.
'Oké', zegt Sven, 'wil je misschien ook wat drinken?'
'Doe maar cola.' Eva draait zich om en loopt naar het tafeltje.
'Mag ik twee cola?' vraagt Sven aan Marleen. Hij voelt in zijn

broekzak, haalt er een portemonnee uit en legt twee euro neer. Marleen duikt in het koelkastje onder de bar. Dan schenkt ze twee glazen in. Sven loopt met de colaatjes naar Eva.

'Jij wilt dus dat ik voor Chester ga zorgen', komt Eva meteen ter zake. Ze kijkt hem aan.
'Eh,' stottert Sven, 'eh, ja, dat klopt.'
'Waarom?' vraagt Eva kortaf.
Sven denkt even na.
'Ik heb morgenochtend een gesprek met mevrouw Van der Steen. Ik ben bang dat ze over mijn cijfers gaat beginnen. Die zijn niet echt goed.' Sven trekt zijn gezicht even in een grimas. Maar Eva blijft hem aankijken.
'Ik ben veel tijd kwijt met de manege', vervolgt hij dan. 'En ik heb daarnaast ook nog wel andere hobby's. Eigenlijk moet ik meer tijd aan huiswerk besteden. Daarom dacht ik dat jij misschien wel een verzorgpony wilde', hakkelt Sven opeens. Hij voelt dat hij een beetje zenuwachtig is. Het is zo belangrijk hoe Eva gaat reageren!
'Waarom stel je dit voor? Je kent me niet eens goed.' Eva valt even stil. Dan krijgt ze een kleur. Sven ziet aan haar ogen dat ze opeens aan iets onprettigs denkt.
'Je vraagt me toch niet omdat je me zielig vindt? Omdat je laatst in het fietsenhok gezien hebt dat ik gepest word?' zegt ze dan verbeten.
'Nee, daar heb ik echt niet aan gedacht', zegt Sven eerlijk.
'Gelukkig', verzucht ze. 'Ik heb namelijk een bloedhekel aan mensen die medelijden met me hebben.'
Het is even stil.
'Maar zie je het zitten om voor Chester te gaan zorgen?' vraagt hij dan.
'Ik denk niet dat ik daar geld voor heb', zegt Eva.
'Mijn ouders betalen alles, dat is geen probleem', zegt Sven

snel. 'Het is voor mij veel belangrijker om iemand te vinden die Chester leuk vindt en die goed voor hem wil zorgen en er ook op wil rijden.'
'Bovendien wil ik niet dat mijn cijfers achteruitgaan', vervolgt Eva.
Het lijkt of ze Sven helemaal niet gehoord heeft.
'Ja, dat snap ik, maar jij staat er toch hartstikke goed voor?' Sven kijkt Eva aan.
'Nu nog wel, maar ik wil niet dat het net zo gaat als bij jou.' Eva zwijgt even. 'School is voor mij heel belangrijk, weet je. Ik wil later gaan studeren. Het liefst medicijnen.'
Sven knikt. Ja, hij kan dat wel begrijpen. Maar hij heeft haar nodig. Als zij het niet doet, moet Chester misschien weg. Hij moet haar overhalen.
'Denk er nog even over na', zegt hij dan. 'Je hoeft niet meteen te beslissen. Maar ik zou het echt hartstikke vet vinden als jij het wilt doen. Ik vertrouw jou volledig bij Chester. En hij is een kanjer. Hij wil echt hard voor je werken.'
Eva staat op. Ze bukt om haar spullen te pakken. Als ze weer rechtop staat, kijkt ze Sven recht aan.
'Cool dat je Chester aan mij wilt toevertrouwen. Maar reken er nog maar niet op. Ik ga erover nadenken, maar ik heb het gevoel dat ik het niet moet doen. Ik laat het gauw weten. Doeg!'
Ze steekt haar hand even op naar Marleen. Dan loopt ze snel de kantine uit. De deur valt met een klap achter haar dicht.
Sven veegt met de rug van zijn hand over zijn voorhoofd. Hij heeft behoorlijk zitten zweten. Balen dat ze niet gewoon 'ja' gezegd heeft. Hoe moet dat nu verder?
Hij brengt de twee colaglazen naar de bar.
'Je hebt het zeker wel begrepen, hè', zegt hij tegen Marleen.
Die knikt.
'Er komt een oplossing', zegt ze dan. 'Wacht nou eerst maar af of ze het echt niet doet. Ga je ondertussen niet druk maken.

Het komt echt wel goed.'
Sven haalt zijn schouders op. Marleen kan mooi praten, maar hij heeft er een hard hoofd in.

10

'Je cijfers zijn steeds slechter geworden, Sven. Als het zo doorgaat, moet je volgend jaar naar de havo.' Mevrouw Van der Steen valt met de deur in huis, als Sven zich de volgende morgen om acht uur bij haar meldt.
'Hoe komt dat nou, Sven?' vraagt ze vriendelijk. Ze draait haar laptop in zijn richting. Sven ziet dat ze zijn cijferportaal open heeft staan.
'Je hebt echt een paar lelijke onvoldoendes te pakken. Je weet toch dat alle cijfers het hele jaar blijven meetellen? Misschien is het huiswerkinstituut wat voor je. Zal ik er met je ouders over praten?' stelt ze dan voor.
Sven schrikt. Een huiswerkinstituut? Nee, dat nooit! En een gesprek met zijn ouders is ook geen goed idee.
'Ik haal het nog wel op. Ik heb het gewoon te druk gehad', zegt hij snel.
'Maar waar ben je dan zo druk mee, Sven? Je ziet er slecht uit en je bent in de les soms heel afwezig', zegt mevrouw Van der Steen beslist. Het is duidelijk dat ze geen genoegen neemt met zijn antwoord.
'Ja, ik heb gewoon van alles', zegt Sven. Hij is vastbesloten om niets over zijn vader te vertellen. Als hij het de mentor vertelt, gaat die het vast weer doorbrieven aan de andere docenten. Voor je het weet, is de hele school op de hoogte en krijgt hij alleen maar gezeur.
'Ik heb een eigen pony en dat kost best veel tijd. Maar ik heb al iemand gevraagd om mij te helpen. Dan hoef ik niet meer elke dag naar de manege. Ik baal zelf ook van die onvoldoendes.'
'Ik houd je in de gaten, Sven', zegt mevrouw Van der Steen. Ze

trekt haar schouders even op. 'Als ik merk dat je cijfers niet beter worden, ga ik toch met je ouders praten. Ik zie wel dat je geen zin in een huiswerkinstituut hebt, maar misschien is dat wel het beste. Als je op het vwo wilt blijven, moet er iets gebeuren.'
De eerste bel gaat. Sven staat snel op.
'Ik heb het eerste uur gym. Ik moet gaan', zegt hij. Hij pakt de rugzak van de grond en zwaait die over zijn schouder.
'Prima, Sven. Ik denk dat we er goed over gepraat hebben. En je weet het, als er iets is moet je echt naar me toe komen.'
'Ja, dank u wel. Doei', mompelt Sven, terwijl hij de klas uit loopt.

Eva is niet bij gym. Sven ziet het meteen als hij bij de gymzaal aankomt. De andere meiden staan bij elkaar. Zal hij Chantal vragen of zij weet waar Eva is? Die twee zijn altijd samen. Ze weet vast waar Eva uithangt. Sven twijfelt. Nee, het is niet slim om dat te doen. Daar gaat ze vast van alles van denken.
Zal hij Eva sms'en? In de klassenlijst moet haar mobiele nummer staan. Hij pakt zijn agenda uit zijn rugzak. De klassenlijst heeft hij voorin geplakt. Met zijn vinger glijdt hij langs de namen. Eva Malinder. Hier staat ze. Maar wat raar! Er staat helemaal geen mobiel nummer bij. Ze heeft toch wel een mobieltje? Nou ja, hier schiet hij dus niets mee op. Trouwens, wat zou hij haar eigenlijk moeten vragen. Waarom ben je niet op school? Dan lijkt het of hij haar aan het controleren is. En voor zover hij Eva kent, heeft ze daar een hekel aan. Nee, hij moet gewoon geduld hebben. Ze zal hem vandaag of morgen wel vertellen of ze voor Chester wil gaan zorgen.

Het derde uur, bij wiskunde, zit ze weer vooraan naast Chantal. Sven voelt zich opgelucht. Ze is niet ziek en er is niets ergs aan de hand. Als het lesuur afgelopen is, loopt hij snel naar haar toe. Maar voor hij bij haar kan komen, lopen andere leerlingen in de weg. Hij ziet dat ze over haar schouder even naar hem kijkt. Hij wenkt: blijf op me wachten. Ze glimlacht raadselachtig en schudt daarna beslist haar hoofd. Dan loopt ze snel achter Chantal aan. Sven zucht. Wat kunnen meiden toch lastig zijn! Wat bedoelt ze nu? Wil ze niet voor Chester zorgen? Of wil ze niet dat hij nu naar haar toe komt en het aan haar vraagt? Of heeft ze nog geen beslissing genomen? Hij moet weten waar hij aan toe is.

De laatste twee resterende lesuren blijft Sven Eva met zijn ogen volgen. Maar Eva doet onverstoorbaar wat ze altijd doet: goed opletten in de les. Ze schrijft dingen over van het bord, zegt af en toe wat tegen Chantal en zorgt ervoor dat hij niet bij haar in de buurt kan komen. Als de bel aangeeft dat de laatste les voorbij is, heeft Sven een besluit genomen. Hij zal vandaag niet proberen om Eva te spreken te krijgen. Hij zal haar zelfs geen blik meer waardig keuren. Ze kan het krijgen zoals ze het hebben wil. Verbeten pakt hij zijn rugzak.

'Heb je zin om even mee de stad in te gaan?' Daan houdt Sven vast aan zijn mouw.
'Eh, ik heb eigenlijk geen tijd. Wat wilde je gaan doen?' vraagt hij.
'Ik wil even kijken of ik nog een leuke nieuwe game kan vinden', antwoordt Daan.
Sven schudt zijn hoofd.
'Vind het wel leuk, maar ik heb echt geen tijd. Andere keer?'
'Alsof je dan wel tijd hebt', zegt Daan een beetje kortaf. Hij kijkt hem met een geërgerde blik aan. 'Je hebt het altijd druk. Vet saai. Maar goed, ik vraag wel een ander.' Daan loopt kwaad weg. Sven ziet dat hij Rob aantikt en wat aan hem vraagt. Rob knikt.

Sven voelt zich beroerd. Had hij toch met Daan mee moeten gaan? Hij kan mama toch ook niet laten zitten? En zolang hij niet weet of Eva ook voor Chester wil zorgen, moet hij zelf nog elke dag naar de manege.
Sven blijft stilstaan. Hij twijfelt. Zal hij toch achter Daan aan gaan? Hij ziet hem niet meer. Ook Eva is trouwens in geen velden of wegen meer te bekennen. Hij loopt op een drafje naar de kluisjes, maar daar is niemand. Er steekt een opgerold papiertje uit zijn kluisje. Als Sven het deurtje openmaakt, dwarrelt het op de grond. Sven raapt het op en vouwt het open. Er staat in een meisjeshandschrift:
Acht uur manege. Be there! E.
Sven voelt een rilling over zijn rug lopen. Hij kijkt op zijn horloge. Het is kwart over drie. Over vijf uur zal hij weten wat Eva besloten heeft. Hoe komt hij die tijd nog door? Even denkt hij aan Daan. Zal hij hem sms'en dat hij toch nog naar de stad komt? Maar zit Daan daar wel op te wachten nu Rob al met hem mee is? En bovendien: hij moet naar huis. Mama vindt het niet prettig om op het laatste moment iemand anders in te schakelen om haar te helpen en papa komt bijna weer thuis van het revalidatiecentrum. Het zou mooi zijn als hij voor het eten al zijn huiswerk afheeft. Want vanavond komt het daar vast niet meer van …

11

'Er stond hier vanochtend vroeg een leuk meisje voor de deur. Ze kwam voor jou.' Mama loopt Sven al tegemoet als hij zijn fiets in de garage zet. Ze kijkt hem plagend aan. Sven laat zijn rugzak van de schouders glijden.
'Je had best eens wat over haar mogen vertellen, hoor', lacht mama. Sven voelt dat hij rood wordt. Er kan maar één meisje aan de deur geweest zijn. Maar waarom zou Eva dat gedaan hebben? En hoe komt ze aan zijn adres? Op school is alleen een lijst met telefoonnummers rondgegaan.
'Wat kwam ze doen?' vraagt hij dan.
'Aha', lacht mama en ze zwaait enthousiast met haar hand voor zijn gezicht. 'Je vraagt niet eens hoe ze heet. Je weet dus om wie het gaat.' Ze kijkt hem triomfantelijk aan.
'Hè, mam, doe niet zo flauw. Het is gewoon een meisje uit mijn klas. Maar wat moest ze hier?'
'Ik weet eigenlijk helemaal niet waarom ze kwam', zegt mama dan met een verbaasde toon in haar stem. 'We hebben gezellig gekletst. Ze leek alle tijd te hebben. Vreemd eigenlijk, nu ik er zo over nadenk. Als ze bij jou in de klas zit, had ze toch gewoon op school moeten zijn? Hebben we het eigenlijk wel over hetzelfde meisje? Een slank meisje met lange blonde haren?' Mama kijkt hem vragend aan.
'Ik denk dat het Eva moet zijn geweest. Eva Malinder', zegt Sven dan. 'Ik heb haar gisteravond op de manege gevraagd of ze Chester als verzorgpony wil.'
'Daar heeft ze helemaal niets over gezegd. Maar Eva was inderdaad haar naam.' Mama strijkt het haar uit haar gezicht. 'Kom, ik zet even een kopje thee.' Ze loopt meteen de gang in. Sven

loopt naar de kapstok, hangt zijn jas op en zet zijn rugtas neer. Dan loopt hij naar de keuken.
'Waar hebben jullie het over gehad?' vraagt hij dan nieuwsgierig. Hij gaat tegen het aanrecht aan staan.
'Over van alles', zegt mama opgewekt. 'Ze zag dat we een auto hebben waar een rolstoel in kan. Ze was benieuwd waarom.'
Sven voelt alle kleur uit zijn gezicht wegtrekken.
'Ik heb haar over papa verteld', gaat mama onverstoorbaar verder. Ze lijkt niet te zien dat hij zich steeds ongemakkelijker voelt onder haar verhaal. 'Ze was heel belangstellend. Het lijkt me een slimme meid. Zelfs de medische termen leek ze te begrijpen. We hebben een hele tijd aan de keukentafel gezeten. Ze kon zo goed luisteren. Echt heel bijzonder, zeker voor een meisje van haar leeftijd. Ik ontmoet zelden mensen die oprecht de tijd nemen om mijn verhaal te horen. Meestal vertellen ze al na een paar zinnen hun eigen verhaal. Maar Eva moedigde me telkens aan om meer te vertellen. Dat deed me echt goed.'
Mama zwijgt even. Ze kijkt Sven aan. Hij voelt dat hij iets moet zeggen, maar hij heeft geen idee wat. Ze hoeft niet te weten hoe afschuwelijk hij het vindt dat Eva nu zijn geheim kent. Wat moet hij vanavond tegen haar zeggen?
'Ze heeft papa toch niet gezien?' vraagt hij dan. Hij probeert zijn stem zo normaal mogelijk te laten klinken, zodat mama niet merkt hoe erg hij dat zou vinden. Mama schudt haar hoofd.
'Kan ik de thee naar mijn kamer meenemen?' gooit Sven het over een andere boeg. Hij wil niet meer over Eva praten. Hij wil erover nadenken hoe hij zich nu tegenover haar moet gedragen. Daar moet hij alleen voor zijn.
'Ik ben hartstikke druk. Ik moet veel huiswerk maken en ik wil vanavond ook nog naar de manege', verklaart hij daarom maar gauw.
'Natuurlijk', zegt mama en ze schuift een vol theeglas en een

koekje in zijn richting. 'Maar neem Eva gerust een keer mee naar huis. Ik vond het leuk om haar te ontmoeten.'

Waarom is Eva naar zijn huis gegaan? Telkens komt die vraag in Svens hoofd op. Hij probeert huiswerk te maken, maar hij kan Eva maar niet uit zijn gedachten bannen. Hij smijt zijn wiskundeschrift op de grond. Hoe kan hij nu logisch nadenken? Hij staat op van zijn bureaustoel en begint door de kamer te ijsberen. Zou Eva het oneerlijk vinden dat hij tegenover haar over zijn vader gezwegen heeft?
Hij ploft weer op zijn stoel neer. Hij trekt zijn laptop naar zich toe en gaat naar Hyves. Hij moet met iemand praten, misschien is Martin online. Hij is de enige die alles over hem weet.

Sven_heeft_paardenkracht: hé Martin.

Er gebeurt niets op het beeldscherm. Sven zucht. Oké, hij moet het dus het alleen oplossen. Maar hoe? Hij wil zijn laptop opzijschuiven, maar dan verschijnt er toch een tekst.

Martin~houdt~van~vakantie: hi Sven. Whats up?

Sven_heeft_paardenkracht: Eva is 2day bij m'n moeder geweest. Heeft alles over pa gehoord. Balen.

Martin~houdt~van~vakantie: had je 't niet verteld?

Sven_heeft_paardenkracht: nee, wil geen medelijden.

Martin~houd ~van~vakantie: tis toch niet erg dat ze 't weet?

Sven_heeft_paardenkracht: wil niet dat klas t weet en wil niet dat ze uit medelijden voor Chester gaat zorgen.

Martin~houdt~van~vakantie: doet ze t?

Sven_heeft_paardenkracht: kweenie, zie haar straks op manege.

Martin~houdt~van~vakantie: kmt goed. Zie k je ng stds morgen?

Sven_heeft_paardenkracht: ja, logeren is ok. Kun je ons vinden?

Martin~houdt~van~vakantie: yep. Heb al op Google Maps gekeken. See you!

Sven_heeft_paardenkracht: ok. doei!

Het is zeven uur als Sven naar de manege rijdt. Langer heeft hij niet kunnen wachten. Papa zat 'm tijdens het eten ook al met Eva te plagen.
'Hé, Sven, wat heb ik nou gehoord, is je vriendin bij mama langs geweest? Jammer dat ik haar net gemist heb!'
'Sven nodigt haar nog wel een keer uit, toch Sven?' zei mama terwijl ze naar hem grijnsde.
'Leuk, een meisje in huis, dat hebben we altijd gemist', ging papa vrolijk verder. Hij genoot er duidelijk van om eens flink te plagen. Sven kon er niet in meegaan. Hij schaamde zich. Pap zou Eva wel willen ontmoeten, maar hij liegt over papa. Wat stom! Na de maaltijd had hij zich zo snel mogelijk uit de voeten gemaakt.

Wat zal hij doen? In de kantine op Eva wachten of bij Chester? Sven loopt naar de kantine. Marleen zit achter de bar.
'Eva komt zo. Wil je haar zeggen dat ik bij Chester ben?' vraagt

hij, terwijl hij in de deuropening blijft staan. Marleen knikt.
'Ik moet zo lesgeven, maar als ik haar zie, geef ik het door. Heeft ze al wat besloten?' Marleen kijkt hem nieuwsgierig aan.
'Nee. Ze is vanmorgen wel bij mij thuis geweest, maar toen was ik al weg. We hebben hier om acht uur afgesproken.' Sven voelt zich zenuwachtig. Hij draait zich al half om.
'Oké, ik hoor het later wel', zegt Marleen. 'En kop op, Sven, de wereld vergaat niet als ze nee zegt.'

'Hier ben je dus.'
Sven schrikt. Net nu hij even niet naar het gangpad heeft gekeken, is Eva er. Hij gaat door met het borstelen van Chester.
'Je had niet opgeschreven waar we elkaar zouden zien', zegt hij dan. Eva kijkt hem onderzoekend aan. Hij voelt zich verlegen worden onder haar blik.
'Je hebt mijn briefje dus wel gevonden', constateert ze.
Sven knikt. Moet hij haar nu vragen wat ze besloten heeft?
'Ik ben vanmorgen bij je moeder geweest', zegt Eva. Ze heeft een zachte borstel in haar hand en gaat daarmee over Chesters rug. Ze kijkt hem over de pony aan.
'Waarom deed je dat?' vraagt hij dan.
'Je moet niet boos worden', zegt ze, terwijl ze hem met een verontschuldigend lachje aankijkt, 'maar toen ik gisteravond thuiskwam, belde Marleen me.'
Sven kan nauwelijks de neiging onderdrukken om ergens een enorme trap tegenaan te geven. Die Marleen, waar bemoeit ze zich mee! Hij heeft toch heel duidelijk gezegd dat hij niets over thuis kwijt wil!
'Ze zei dat het voor jou heel belangrijk is snel te weten of ik voor Chester wil zorgen. Dat je Chester anders misschien wel weg moet doen. Maar zij wist wel dat je vader gehandicapt is, hè? Waarom heb je daar op school nooit wat over verteld? Je had het toch ook aan mij kunnen vertellen, toen je me vroeg of

ik voor Chester wilde zorgen. Waarom heb je dat niet gedaan?'
Sven weet eerst niet wat hij moet zeggen, maar hij besluit haar de waarheid te vertellen. Eerlijk zijn duurt tenslotte het langst.
'Ik durfde het niet. Op de basisschool had iedereen medelijden met mij nadat mijn vader het ongeluk had gehad. Ik werd zelfs voor verjaardagsfeestjes gevraagd van kinderen met wie ik nooit speelde. Dat wilde ik niet meer. Ik heb een hekel aan medelijden. Het liefst regel ik alles zelf, maar dat lukt me niet meer. Ik moet thuis zo vaak helpen dat ik in tijdnood kom. Maar genoeg over mij. Wat heb je besloten?' Hij kijkt haar gespannen aan. Ze legt haar hoofd even tegen Chester aan.
'Ik doe het, maar we moeten wel gaan afspreken hoe we het regelen. Ik heb er gisteravond al met mijn ouders over gesproken en die willen wel dat ik iets ga meebetalen. Ik ga natuurlijk minder lesgeld bij Marleen betalen, wanneer ik een eigen pony heb. Dat geld kun je sowieso krijgen. Mijn ouders willen daarnaast nog 50 euro extra per maand geven.' Ze zwijgt en kijkt hem aan.
'Joh, dat hoeft echt niet.' Sven slaakt een zucht van opluchting. 'Ik ben hartstikke blij dat je dit wilt doen. Maar je doet dit toch niet uit medelijden?'
Eva schudt driftig met haar hoofd heen en weer.
'Nee, maar ik wil wel betalen. Mijn ouders kunnen dat geld best missen. Als je dat niet wilt, doe ik het niet.' Sven ziet de trots in haar ogen.
'En ik wil niet dat iemand op school dit weet. Daar komt alleen maar gezeur van', vervolgt ze. 'Ik geef je straks wel mijn mobiele nummer, maar dat mag je aan niemand anders geven.'
Sven weet even niet hoe hij het heeft. Ze wil dus wel een verzorgpony, maar hij mag dat aan niemand op school vertellen. Wat vreemd!
'Wat is er toch met je?' zegt hij dan. 'Je doet zo geheimzinnig. Je kunt mij toch vertrouwen?'

De handen van Eva gaan zachtjes over Chesters rug. Even denkt Sven dat ze zijn vraag helemaal niet gehoord heeft. Maar dan kijkt ze op.
'Ik vertrouw je. Daar gaat het niet om. Geloof me maar, dit is voor ons allebei het beste.' Ze legt haar hoofd tegen Chesters hals. 'Nu ben je ook een beetje van mij', zegt ze, terwijl ze haar armen om hem heen slaat.

12

'Zoals jullie al weten, gaan we binnenkort met alle vwo-brugklassen op werkweek', zegt mevrouw Van der Steen de volgende dag tijdens het mentoruur. 'Andere scholen hebben in de brugklas een introductieweek, maar hier op het Augustinus doen we het anders. We moeten vandaag alvast wat praktische dingen bespreken. Allereerst lijkt het me goed om even te inventariseren wie van jullie ergens allergisch voor is. Ik weet dat er hier geen levensbedreigende allergieën zijn, maar misschien zijn er wel dingen waarvan je een beetje last krijgt. Dan kunnen we met het eten daarmee rekening houden.' Ze kijkt de klas rond. Niemand zegt wat. Rob steekt zijn vinger op.

'Ja, Rob, zeg het maar.'

'Ik ben allergisch voor tonijn, vooral die uit blik', zegt hij met een ernstig gezicht. Sven kan een lach bijna niet onderdrukken. Wie is daar nou allergisch voor?

'Ik verwacht niet dat we tonijn gaan eten', zegt de mentor. Ze kijkt Rob streng aan. Het lijkt erop dat ze aan zijn woorden twijfelt. Rob zegt niets meer. De mentor kijkt de klas rond. 'Wie nog meer?'

Chantal steekt haar vinger op.

'Ik ben allergisch voor ongewassen aardbeien', zegt ze. Er barst meteen een gejoel los. Sven grinnikt en slaat met zijn handen op de tafel. Wow, die Chantal. Hij had zo'n goede grap niet van haar verwacht.

'Stilte!' Mevrouw Van der Steen steekt haar hand op. 'Ik wil dat het nu volledig stil is.' Ze houdt haar vinger voor de mond en kijkt de klas rond.

'Aardbeien zijn hypoallergeen. Het kan heel goed dat je daar last van krijgt. Datzelfde geldt bijvoorbeeld voor ananas, daar zit ook een stofje in dat voor een prikkelend gevoel in je mond kan zorgen', zegt ze dan rustig. Ze kijkt naar Chantal, die knikt.
'Ik ben echt allergisch voor ongewassen aardbeien. Heus, dat is geen grap', zegt ze dan. Mevrouw Van der Steen schudt haar hoofd.
'Ik denk dat je onbewerkte aardbeien bedoelt. Maar hoe het ook zij, het aardbeienseizoen is voorbij. Dus ik verwacht daar geen problemen mee. Wie heeft er nog meer wat?' Sven kijkt naar Eva. Maar Eva zit stil voor zich uit te staren, het lijkt erop dat al het lawaai aan haar voorbij is gegaan. Waar zit ze met haar gedachten? Hij beseft dat hij nog minder dan voorheen van haar af weet. En dat zit hem niet lekker.

Als Sven bij zijn kluisje staat om zijn spullen eruit te pakken, schiet hem iets te binnen. Hij slaat met zijn hand tegen zijn hoofd. Stom, stom! Hij is helemaal vergeten om Eva te vragen of ze vandaag al voor Chester wil zorgen. Straks komt Martin en het is niet zo leuk om meteen de eerste avond van zijn logeerpartij met hem naar de manege te moeten gaan. Hij propt zijn spullen weer terug, doet zijn kluisje snel dicht en sprint naar het fietsenhok. Misschien is Eva er nog. Voor deze ene keer. Hij moet het haar toch op school vragen.

In het fietsenhok is het druk. Sven zigzagt langs de leerlingen. Vooral die fietsen met dikke banden en grote manden voorop zorgen voor vertraging. Maar eindelijk is hij uit de drukte. Eva zet haar fiets altijd op dezelfde plek, een beetje achteraan. Hij rent erheen. Haar fiets staat er nog. Hij zucht van opluchting; ze moet dus nog in de buurt zijn! Dan kijkt hij wat beter naar haar fiets. De banden zijn nog heel. Maar in haar zadel zit een grote snee! De losse gel puilt eruit.

Hij kijkt om zich heen. Komt ze er al aan? Het is beter dat hij erbij is wanneer ze dit ziet. Ze zal zich vast rot schrikken. Hij wacht een paar minuten bij de fiets. Dan slaat de twijfel toe. Zou ze op een andere manier naar huis zijn gegaan? Als dat zo is, dan staat hij hier mooi voor niets! Misschien is het beter om haar een sms te sturen. Hij loopt terug naar school.

Hij pakt zijn mobiel uit het kluisje en toetst het bericht voor Eva in.
Wil j 2day naar Ches gaan? Kheb vriend te logeren. S.
Sven drukt op verzenden. Dan hoort hij een mobiel afgaan. Hij kijkt waar het geluid vandaan komt. Een eind verderop in de gang staan jongens uit een parallelklas. Hij kent er twee van: Frank en Niels.
'Geef 'm aan mij! Ik moet weten wie de bitch sms't', schreeuwt Frank. Sven ziet dat ze om iemand heen staan. Een arm met een mobiel steekt in de lucht.
'Even lezen,' brult Frank, 'allemaal koppen houden!'

'Wil je today ...' Sven voelt dat hij ijskoud wordt. Die jongens hebben de mobiel van Eva! Hij rent erheen. Dan ziet hij dat Eva in het midden staat. Haar kleren zitten schots en scheef. Haar mooie lange blonde haar staat alle kanten uit. Ze kijkt hem wanhopig aan.
'Laat haar onmiddellijk gaan', zegt hij met overslaande stem. De jongens draaien zich naar hem toe.
'Bemoei je er niet mee', zegt een pukkelige jongen dreigend.
'Dat doe ik wel.' Sven probeert zo stoer mogelijk naar hem toe te lopen.
'Je kunt nu nog verdwijnen', zegt Frank. 'Als je je ermee blijft bemoeien, pakken we jou ook.'
'Ga weg, Sven, je hebt hier niets mee te maken', zegt Eva dringend.

‘Geen sprake van,’ zegt Sven, ‘ze moeten je laten gaan. En als ze dat niet doen, ga ik nu naar de rector.’
‘Dat is duidelijk,’ zegt de pukkelige jongen, ‘hij wil niet luisteren. Dan zit er niets anders op. We hebben je gewaarschuwd.’
Hij grijpt Sven bij zijn bovenarm. Niels pakt zijn andere arm.
‘Laat me los!’ schreeuwt Sven. ‘Jullie zijn dom bezig, de dagwacht ziet jullie zo op de monitor.’
‘Wij zijn slimmer’, zegt een brede, dikke jongen die Eva aan haar haar vastheeft. Hij wijst naar de camera, die naar het plafond gedraaid is.
‘Genoeg gekletst’, zegt het pukkelhoofd. ‘Laten we hen maar opsluiten in het magazijn achter het biologielokaal. Kunnen ze daar mooi genieten van alle beesten die op sterk water zijn gezet.’ Hij trekt Sven mee. Eva wordt ook meegesleept naar het lokaal. Sven verzet zich uit alle macht, schopt waar hij kan, maar kan niet voorkomen dat hij uiteindelijk in het magazijn belandt. Eva wordt na hem naar binnen gesmeten. Ze gooien de deur met een klap dicht. Sven haalt opgelucht adem. Maar die opluchting is van korte duur. De deur zwaait weer open.
‘We zijn nog vergeten om je mobiel mee te nemen. Je weet natuurlijk best dat mobieltjes op school verboden zijn’, lacht Frank gemeen. Hij grijpt met zijn hand naar Svens broekzak. Sven haalt het apparaat er heel gauw uit en geeft het af.
‘Jij leert snel’, zegt de jongen. ‘Ik weet niet of we morgen nog terug kunnen komen. Best lastig dat zo’n school in het weekend dicht is. Nou ja, maandag zijn we er wel weer. Dan zullen we eens zien of die bitch hiervan geleerd heeft.’ Hij loopt het magazijn uit en slaat de deur dicht. Dan klinkt het geluid van een sleutel die in het slot wordt omgedraaid. Sven rent naar de deur. Hij slaat er met zijn vuisten op.
‘Laat ons eruit. Doe niet zo stom! Jullie komen hier niet mee weg!’ Hij rammelt aan de deurklink, hij slaat met beide vuisten op de deur. Dan voelt hij een hand op zijn arm.

'Stop maar', zegt Eva gelaten. 'Het heeft geen zin.'
Sven trapt tegen de deur. Dan zakt hij met zijn rug tegen de deur naar beneden. Hij kijkt op naar Eva. Ze laat zich ook langs de muur naar beneden zakken en komt naast hem zitten. Ze slaat haar handen voor het gezicht. Sven voelt haar opeens schokken. Hij legt zijn arm om haar schouders. Even voelt het alsof ze hem wil afweren. Dan breekt haar verzet. Ze gaat steeds harder huilen. Sven klopt haar troostend op haar rug.
'Stil maar', sust hij. 'We moeten iets verzinnen. Het komt goed. We komen hier wel uit.'
Na een tijdje bedaart ze.
'Wat heb je gedaan, dat ze zo boos op je zijn?' zegt Sven dan plotseling. Het is de vraag die hij telkens in zijn hoofd heeft. Hij kijkt haar aan.
Eva trekt even met haar schouders.
'Wat ik heb gedaan?' zegt ze verontwaardigd. 'Vraag maar liever wat zij gedaan hebben. Ik heb helemaal niets verkeerds gedaan. Integendeel.' Haar ogen spuwen vuur.
'Maar waarom zitten ze je dan achterna?'

Eva is opgestaan en loopt heen en weer door het pad in het laboratorium. Sven kan de twijfel van haar gezicht lezen. Zal ze hem in vertrouwen durven nemen? Nu hij erover nadenkt, beseft hij dat Eva nooit iets met jongens doet. Ze vermijdt het om ze aan te spreken en aan te kijken. Wat is er in het verleden gebeurd dat haar zo afstandelijk heeft gemaakt?
Eva ijsbeert nog wat, dan loopt ze op hem af. Ze gaat weer naast hem zitten.
'Het was op een woensdagmiddag', zegt ze dan zacht. Sven kan haar bijna niet verstaan. Hij buigt zijn hoofd naar haar toe.
'Ik had klassendienst. Er lag heel veel zand in de klas. Ik had er veel werk aan. De juf was al weggegaan, naar de koffiekamer of zo. Vanuit het openstaande raam van de klas kon ik net het

klimrek zien. Het was rustig op het plein. De meeste kinderen waren al naar huis. Twee jongens uit mijn klas waren er nog wel. Frank en Niels. Ze waren aan het voetballen.
Ik zag dat een jongetje uit groep 2 nog bij het klimrek was. Ik kende hem wel. Tom. Een geweldig jongetje. Hij had altijd van die pretoogjes. Alle meiden uit groep 8 vonden hem lief. We speelden weleens met hem. Hij wachtte op zijn moeder. Hij had een rugzakje om en onder zijn arm had hij een knuffel.
Ik had net alle troep uit de klas op een blik geveegd, toen ik hem keihard hoorde huilen. Ik keek op. Ik zag dat Frank en Niels de knuffel van Tom hadden afgepakt. Ze gooiden hem naar elkaar over.' Eva zwijgt. Sven ziet tranen in haar ogen opwellen.
'Ik bleef kijken. Ik hoorde Frank tegen Tom zeggen dat hij de knuffel zou terugkrijgen als hij niet meer huilde. Toen gooiden ze de knuffel op het klimrek. Tom klom erop. Maar net toen hij die wilde pakken, trok Niels de knuffel weg. Tom raakte zijn evenwicht kwijt en viel.'

Eva wrijft in haar ogen.
'Ik rende naar buiten. Ik zag dat Frank en Niels ervandoor gingen. Toen zag ik Tom. Hij lag op zijn rug. Uit zijn hoofd kwam bloed. Hij zei niets. Hij lag er zo stil. Ik gaf tikjes tegen zijn wang. Ik riep hem, maar hij reageerde nergens op. Ik moest hulp halen! Ik rende de school in naar de koffiekamer. Iemand belde de ambulance. Toen die kwam, was Tom nog steeds niet bij. Hij zag er zo akelig uit. Zo wit. Heel vaak zie ik dat nog voor me.'
Eva rilt. Sven ziet dat ze het weer opnieuw beleeft. Wat een ontzettend naar verhaal! Het lijkt op zijn verhaal. Op dat moment dat papa voorover op het stuur lag. Toen het leek alsof papa aan het doodgaan was. Sven huivert.
'Wat gebeurde er toen?' hoort hij zichzelf vragen alsof hij

iemand anders is.
'Tom kwam bij in de ambulance. Hij had een hersenschudding en een gebroken arm.'

Eva is een moment stil. Sven voelt dat de ontknoping van het raadsel dichtbij is. Het raadsel waarom Eva Malinder jongens mijdt en waarom Frank en Niels razend op Eva zijn.
'Ik was eerst in shock. Niemand vroeg door. Iedereen dacht dat het een ongeluk was. Ik wilde de ouders van Tom ook niet nog meer pijn doen. Als ze zouden weten dat Frank en Niels het ongeluk veroorzaakt hadden, zou dat hen verdriet doen. Maar ik vond het ook niet eerlijk voor Tom om het te verzwijgen. Nu dacht iedereen dat het zijn eigen schuld was.'
Eva springt op en loopt door het gangpad heen en weer. Ze staat abrupt voor Sven stil. Ze kijkt hem aan.
'Na een paar dagen kon ik het niet meer uithouden. Ik zag dat het Frank en Niels niets deed, ze gedroegen zich net als anders. Zelfs toen het verhaal over Tom in de klas verteld werd, reageerden ze raar lacherig.
Ik ben naar de directeur gegaan. Ik heb het verteld. Frank en Niels werden erbij gehaald. Natuurlijk ontkenden ze het. Het was hun woord tegen het mijne. Onderzoek wees uit dat mijn verhaal waar was. Uiteindelijk heeft Niels als eerste bekend. Ze hebben straf gehad. Vooral omdat ze weggerend waren en Tom daar bewusteloos achtergelaten hadden.' Eva pauzeert even.

'De rest van het schooljaar deden Frank en Niels telkens kleine pestdingetjes. De ene keer was mijn gymtas weg, een andere keer vond ik mijn potloden kapot terug in mijn etui. Dan weer was mijn jas helemaal vies gemaakt. In de zomervakantie stopte het ook niet. Ze schreven op Hyves leugens over mij. Daarom heb ik mijn account beveiligd. Ze belden op rare tijden naar mijn mobiel. Dus ik nam een ander nummer. Ze kalkten scheld-

woorden op onze garagedeur. Natuurlijk konden we niet bewijzen dat zij het waren. Ze schreven hun naam er niet onder of zo, maar ik weet het zeker. Wie zou het anders doen?'
Eva stopt weer even. Dan vervolgt ze: 'Mijn ouders hebben ervoor gezorgd dat ik in een andere brugklas kwam. Gelukkig wilde Chantal wel met mij mee naar deze klas. Zij is de enige die alles weet. Mijn ouders dachten dat als ze mij niet meer zouden zien, ze wel zouden stoppen met dat gedoe. Maar het heeft niets geholpen. Ze zijn al weken bezig. Je hebt het gezien. En nu dit. Ze moeten me gewoon hebben. En die twee andere jongens, die hebben er eigenlijk niets mee te maken. Ik weet niet wat voor leugens ze hen verteld hebben, maar dat zijn kennelijk meelopers.' Eva's stem klinkt steeds bozer, haar ogen schieten vuur. Ze balt haar vuisten.
'Het is zo gemeen! Ik kan ze wel wat doen!' roept ze dan.

13

Het is schemerig geworden in het magazijn. Na het verhaal van Eva weet Sven eigenlijk niet wat hij moet zeggen. Wat een rotjongens, die Frank en Niels!
Hij kijkt op zijn horloge. Het is al halfzes! Nu geen getreuzel meer. Hij moet ervoor zorgen dat er snel een oplossing komt.
'We moeten hier weg', zegt hij. Eva kijkt op.
'Ja, logisch. Maar hoe?' Ze kijkt hem vragend aan.
Hij loopt naar de deur en rammelt aan de klink. Er gebeurt niets.
'Ik denk dat de kans vrij klein is dat iemand ons hoort', zegt hij dan. 'Deze deur zit in het lokaal. Als iemand langs het lokaal loopt, moet hij wel heel goed luisteren, wil hij horen dat hier iets gebeurt. Op hulp van buitenaf hoeven we dus niet te rekenen. En de ramen kunnen niet open, dus dat helpt ons ook niet om te ontsnappen.'
Mismoedig haalt hij zijn handen door zijn haar. Zijn maag knort en hij voelt dat hij een droge keel heeft. Eva gaat naast hem staan. Haar schouders hangen naar beneden en haar ogen staan moedeloos.
'Volgens mij kunnen we niets anders doen dan afwachten', zegt ze somber. 'Misschien zitten we hier wel het hele weekend.'
'Dat wil ik niet', schiet Sven uit. 'Mijn moeder heeft me nodig. Mijn vader. Ik moet naar huis. Begrijp dat toch!' Hij voelt dat hij boos wordt.
'Ja, natuurlijk', zegt Eva op kalmerende toon. 'Ik wil ook niets liever dan nu naar huis gaan. Maar hoe? Ik zie geen mogelijkheden. Trappen tegen de deur helpt niets.' Ze laat zich midden in het gangpad neerzakken en legt haar hoofd op haar armen.

Haar lange blonde haren vallen naar voren. Sven kijkt op haar neer, hij kan haar gezicht niet meer zien. Zal hij ook gaan zitten? Moet hij het ook opgeven?

Hij loopt door het gangpad. En dan opeens ziet hij ze. Gasbrandertjes! Dat hij daar niet eerder aan gedacht heeft. Een ervan kan hij mooi aansluiten op een van de gaskraantjes bij de plank voor het raam. Maar hoe krijgt hij vuur? Daar heeft hij lucifers of een aansteker voor nodig. Hij speurt rond. Dan ziet hij in een stelling een klein ladekastje. Hij loopt erheen en opent een laatje. Mis. Er zitten paperclips in. Een volgend laatje. Weer niet, alleen plakband. Nog een laatje. Hebbes! Er ligt een doosje lucifers in. Hij pakt het, loopt naar de gasbrandertjes en neemt er een mee. Hij legt de spullen op de plank. Dan loopt hij naar Eva en tikt haar op haar schouder. Haar hoofd schiet omhoog.
'Ik weet wat,' zegt hij, 'kom mee.' Eva staat op en volgt hem naar de plank. Sven sluit het brandertje op het gaskraantje aan.
'Ik ga brand veroorzaken', zegt hij dan stoer.
'Wat?' stoot Eva uit. Ze kijkt hem verschrikt aan. 'Da's hartstikke link, joh', zegt ze dan.
'Ik ga met dit brandertje een vuur maken', zegt Sven. 'Ik ga het zo hoog opstoken, dat het brandalarm afgaat. En dan komen ze vast wel naar ons toe.'
Opeens zakt de moed Sven in de schoenen. Het klinkt wel goed, maar hoe krijgt hij dat vuur zo hoog dat het alarm echt afgaat? En hoe kan hij dan voorkomen dat niet het hele laboratorium in lichterlaaie komt te staan? Er liggen hier veel spullen die een brand alleen maar aanwakkeren. Hij kijkt rond. Naast de deur hangt een rood apparaat. Een brandblusser! Die kunnen ze erbij houden, dan kan er niets gebeuren!
'We kunnen voor de zekerheid de brandblusser erbij houden', zegt hij. Hij loopt naar de deur en haalt het apparaat uit de beugel. Oei, dat voelt toch wel heel zwaar. Hij zet het gauw op de

grond. Vervolgens kijkt hij naar de gebruiksaanwijzing die naast de plek waar de brandblusser hing, aangebracht is.
'Misschien moet jij dit even lezen', roept hij dan naar Eva die op de plek waar hij net stond, lijkt te zijn vastgevroren.
'Kom, help nou even mee', zegt hij op een toon die geen tegenstand duldt. Eva loopt naar hem toe. Ze zegt niets, maar ze leest de aanwijzingen wel.
'Denk je dat je zo snapt hoe je het moet gebruiken?' vraagt hij. Eva knikt. Sven pakt de blusser op. Wow, het ding is echt loodzwaar. Hij probeert het een stukje te dragen, maar moet het dan weer even neerzetten. Eva bukt en pakt het apparaat stilzwijgend aan de onderkant vast. Sven pakt de bovenkant. Samen slepen ze de blusser naar de plank.
'Je hoeft niet bang te zijn', zegt hij. 'Er kan niets gebeuren. We doen dit echt op een veilige manier. Binnen een halfuur staan we buiten.' Hij kijkt haar aan.
'Ik weet het niet', aarzelt Eva. 'Wat nou, als het blussen mislukt en de hele boel hier in de hens vliegt? Dan zitten we als ratten in de val.' Ze huivert.
'We moeten toch wat', probeert Sven haar over te halen. 'Bovendien moeten hier sprinklerinstallaties zijn. Je weet wel, een soort douches die aangaan als er brand is.' Hij kijkt omhoog en speurt het plafond af naar de minidouchekoppen. Ha, daar ziet hij er een.
'Kijk,' wijst hij, 'je hoeft dus echt niet bang te zijn.' Hij wil zijn blik alweer naar het gasbrandertje laten gaan, als hij in de hoek van het plafond nog iets ziet. Een rooster. Een luchtrooster.

Natuurlijk, hoe kon hij nou zo stom zijn! Hoe vaak heeft hij het wel niet in films gezien. Luchtroosters! De meest ideale manier om uit een ruimte te ontsnappen. Hij lacht hardop. Eva kijkt hem verbaasd aan.
'Laat maar zitten, die gasbrander', zegt hij blij. 'Die hebben we

niet meer nodig. Ik heb een beter idee.' Hij wijst naar het rooster. 'Ha, hier hebben die stomme Frank, Niels en die anderen niet op gerekend. We ontsnappen via het luchtrooster.'
Sven pakt de bureaustoel en rijdt 'm onder het rooster.
'Wil jij de stoel goed vasthouden? Ik ga proberen of ik het rooster kan losdraaien.' Eva houdt de stoel met beide handen beet. Sven klimt erop. Hij steekt zijn handen in de lucht. Hij komt nog zo'n dertig centimeter tekort.
'Ik ga op de armleuningen staan', waarschuwt hij Eva. Eva haalt haar handen af van de leuningen en klemt haar armen om de rugleuning. Sven zet zijn voeten op de leuningen. Het voelt wiebelig, maar het gaat. Hij kan net bij het rooster. Hij schuift het opzij.
Hij hoeft alleen nog maar de ventilator te verwijderen en dan kunnen ze via het luchtkanaal weg. Hij draait aan de schroeven. Gelukkig, dat gaat makkelijk. Hij pakt de ventilator vast en geeft 'm aan Eva. Die legt 'm voorzichtig op de grond.
'Wat nu?' vraagt ze.
'Ik ga even kijken hoe het hier is. Ik kom zo terug', zegt hij. Hij trekt zich op aan zijn armen. Dan zwaait hij zijn benen over de rand. Hij kruipt door het krappe luchtkanaal over het plafond. Het is er donker en benauwd. Bah, een spinnenweb in zijn gezicht. Hij veegt het weg en voelt weer met zijn hand. Hatsjie. Het stof kriebelt in zijn neus en mond. Sven veegt met de mouw van zijn trui langs zijn neus. Dan tast hij weer over het plafond. Nee, hij zit nog in de buis. Hij krijgt een ongerust gevoel. Hoe komt hij hier ooit uit? De buis is smal. Hij kan zich niet omdraaien, hij moet verder, maar zal hij ooit wel aan het eind van deze buis komen? Wat als de buis doodloopt?
Hij kruipt verder. Soms voelen zijn handen kleine dingetjes, botjes van dode dieren of zo. Hij rilt. Niet over nadenken, zegt hij tegen zichzelf. Hij komt op een splitsing, en besluit linksaf te gaan. Het is nog steeds aardedonker. Hij schuift op zijn buik

door de buis, terwijl hij met zijn handen blijft tasten. Opeens voelt hij iets ribbeligs. Als hij goed kijkt, ziet hij heel vaag streepjes licht. Yes, weer een luchtrooster en er zit zelfs geen ventilator voor! Hij probeert het rooster weg te schuiven, maar dat gaat niet. Dan geeft hij er een harde klap op.
'Sven, waar blijf je?' hoort hij Eva in de verte roepen.
'Ik kom zo', roept hij. Hij slaat met twee vuisten op het rooster. Hij krijgt er geen beweging in. Hij kruipt over het rooster heen en gaat op zijn rug liggen. Zijn voeten zet hij op het rooster. Hij trapt keihard. Er gebeurt niets. Nog een trap en nog een. Opeens valt het rooster met een donderend geraas naar beneden. Svens ene voet schiet door. Hij schuift verder naar de open plek. Hij draait zich op zijn buik en laat zijn benen naar beneden zakken, totdat hij alleen nog maar aan zijn armen hangt. Even blijft hij zo hangen, dan springt hij naar beneden.
Hij kijkt rond in de bijna donkere ruimte. Een lokaal, maar welk? Dan rent hij naar de deur van het lokaal en gooit die open. Hij ziet de gang. Hij kijkt naar links, dan naar rechts. Er zijn geen echte lampen aan, er brandt alleen noodverlichting. Maar hij kan wel zien dat hij vlak bij het biologielokaal is. Hij rent erheen, doet de deur open, zijn hand gaat naar het lichtknopje. Hij spurt naar de deur van het magazijn. Daarbij stoot hij zijn knie lelijk tegen een tafel. Hij bijt op zijn lip en loopt door. Hoe moet hij die deur open krijgen?
Dan uit hij een kreet van verrassing. Want in het sleutelgat van de deur zit de sleutel! Met een zwaai gooit hij de deur open. Het licht van het lokaal stroomt de ruimte in. Hij ziet dat Eva, die nog steeds bij de bureaustoel staat, schrikt en zich razendsnel omdraait. Dan gaat haar schrik over in verbazing en blijdschap.
'Wow! Geweldig! Hoe is dit je gelukt?'
'Kom, laten we gauw gaan,' zegt Sven, 'ik leg het je later wel uit. Nu moeten we maken dat we wegkomen.'
Ze rennen het lokaal uit, de gang op, naar de kluisjes waar het

een paar uur geleden begon. Sven ziet bij het vage schijnsel van de noodverlichting dat zijn sleutel nog in het kastje zit. Gelukkig, ze hebben er niet aan gedacht om die mee te nemen. Hij rukt het deurtje open. Bij zijn spullen ligt zijn mobieltje en dat van Eva. Raar dat ze die niet meegenomen hebben. Of zouden ze bedacht hebben dat dat bewijsmateriaal zou zijn? Hij zet het ding aan. Meteen ziet hij op zijn scherm dat er elf berichten zijn, allemaal van thuis. Zijn moeder moet gek geworden zijn van angst.
Eva heeft inmiddels de spullen uit haar kluisje gepakt en ze staat naast hem. Ze pakt haar mobieltje en zet het aan.
'Vijftien berichten', zegt ze op sombere toon.
'Wat zullen we doen? Eerst naar huis bellen?' vraagt Sven.
Eva haalt haar schouders op.
'Ik weet het niet', zegt ze. 'Ik weet niet hoe ik dit aan mijn ouders moet uitleggen.'
Sven knikt.
'Mijn moeder zal vast denken dat het een smoes of zo is. Toen ik laatst corvee had, was ze ook al kwaad op me.' Hij denkt na. 'Moeten we eigenlijk niet eerst de politie bellen? Het is toch misdadig dat ze ons hebben opgesloten?' stelt hij dan voor.
Eva schrikt. Ze wordt vuurrood.
'Nee, geen politie!' zegt ze gehaast. 'Echt, beloof me dat je er geen politie bijhaalt. Als ze dan straf krijgen, gaan ze weer achter mij aan! Zo kom ik nooit van ze af.'
'Oké, oké', geeft Sven toe. 'Laten we maar naar mijn huis gaan. Dan bellen we daar jouw ouders. Kom, we gaan naar het fietsenhok.'
Ze lopen de gang door, de trap af, naar de hoofdingang van de school.
'Mijn jas moet hier nog ergens hangen', zegt Eva. Ze loopt naar de kapstokken, die vlak bij de ingang staan.
'We moeten echt opschieten', spoort Sven haar aan. 'Hoe eer-

der we thuis zijn hoe beter.' Zijn oog valt op zijn broek. Wat is die smerig geworden! Hij stampt en klopt om alle stof en troep van zijn broek af te krijgen.

'Stilstaan! Beweeg je niet!' klinkt een barse mannenstem. Sven schrikt vreselijk. Opeens baadt de hal van de school in het licht. Er staan twee politieagenten met een wapenstok in de aanslag. Naast hen staat de conciërge. Sven staat als aan de grond genageld. Hij ziet dat Eva lijkbleek is geworden.
'Laat maar eens zien wat jullie gestolen hebben', zegt de ene agent. Hij loopt op Sven af en steekt zijn arm gebiedend uit. Sven laat de rugzak van zijn schouders glijden. Bijna automatisch wil hij de tas afgeven. Maar dan welt er woede in hem op. Nu hebben ze zichzelf eindelijk kunnen bevrijden en dan gebeurt er dit. Het is niet eerlijk.
'We hebben helemaal niets gestolen! We zijn door anderen ingesloten en hebben ons net met veel moeite kunnen bevrijden', zegt hij verontwaardigd.
'Het is echt waar', voegt Eva toe. Ze is naast hem komen staan.
'Mooie smoesjes', smaalt de agent. 'Jammer dat we die al zo vaak te horen krijgen.'
'Maar u kent ons', roept Sven tegen de conciërge. 'U moet toch weten dat we niets verkeerds gedaan hebben.' De man reageert niet, maar kijkt hem alleen maar aan.
'Dat hebben we ook al zo vaak gehoord', zegt de andere agent. 'We nemen jullie mee naar het bureau. Daar zullen we weleens verder kijken.'
'Maar kijk dan in mijn rugzak. We hebben niets gestolen', snauwt Sven.
'Ook dat is een heel gebruikelijke truc', zegt de eerste agent bijna berustend. 'Wel stom dat jullie er niet aan gedacht hebben dat een school na schooltijd goed bewaakt wordt. Zeker nog nooit van "stil alarm" gehoord?'

Hij pakt Sven met zijn ene hand beet en Eva met de andere. Dan duwt hij hen voor zich uit naar de deur.
'Misschien wil jij even hun ouders bellen, dat we ze op heterdaad betrapt hebben. Laat hen maar naar het bureau aan de Laurierstraat komen', zegt hij tegen de conciërge.

14

In de politiewagen is het stil. Het enige wat Sven hoort, is het geluid van de motor en het zachte sniffen van Eva. Toen de agent haar beetpakte in de hal van school begon ze opeens te huilen.
'Het is waar', riep ze, terwijl de tranen over haar wangen stroomden. 'Jullie moeten ons geloven!'
'Kies de volgende keer nou een betrouwbaarder vriendje uit, jongedame', zei de agent zalvend. 'Dit is niet zo'n slimme actie van jullie!'
'Maar we moeten naar huis, onze ouders weten niet waar we zijn! We zijn al uren zoek. Mijn moeder maakt zich heel ongerust over mij', snikte ze. Ze probeerde zich los te trekken, maar de agent pakte haar nog steviger beet.
Sven probeert in de politieauto naar Eva te kijken. Maar dat is lastig. De agent die hen vastgepakt heeft, zit op de achterbank tussen hen in. Het is een wat gezette man, die per se wil voorkomen dat ze contact met elkaar maken. Sven heeft even geprobeerd om Eva gerust te stellen, maar hij werd meteen gemaand zijn mond te houden.
'Ik wil geen woord meer horen! Straks op het bureau kan er gepraat worden. Daar zullen we weleens kijken wat jullie te vertellen hebben als we jullie apart verhoren.' De agent maakt zich extra breed. De politieauto racet over straat. Het lijkt alsof ze alle snelheidsrecords verbreken, maar de sirene is uit en ook het zwaailicht staat niet aan.

Sven kijkt op zijn horloge. Er is weinig licht in de auto, maar toch kan hij de tijd aflezen. Bijna zeven uur! Wat zal zijn moe-

der denken? En hoe zal het met zijn vader gaan? Wie zal er vanmiddag geholpen hebben? En zullen ze al gegeten hebben? Hij voelt zijn maag knorren. Wat hij wel niet zou geven voor een boterham met kaas ...
Martin! Opeens schiet het door hem heen. Martin! Die zou om halfzes op de stoep staan. Hij zal mama wel geholpen hebben. Sven probeert zich even voor te stellen hoe het gegaan zal zijn toen Martin bij zijn huis kwam. Zijn ouders moeten toen al urenlang in spanning hebben gezeten. Wie weet wie ze gebeld hebben, waar ze gezocht hebben ...

De politieauto stopt op de parkeerplaats bij de ingang van het bureau. De agent die gereden heeft, zet de motor uit. Dan pakt hij de mobilofoon uit de houder en zegt er iets in. Sven begrijpt niet wat. Het lijkt wel codetaal.
'We moeten even wachten op de back-up', legt de agent, die naast hem zit, uit. Hij kijkt Sven met een strenge blik aan. Dan wendt hij zich tot Eva. 'We kunnen er niet op gokken dat jullie netjes met ons mee gaan lopen. Als we nu uitstappen, zou een van jullie er zomaar vandoor kunnen gaan. Dat willen we voorkomen. Dit is allemaal al genoeg gedoe voor een vrijdagavond.'
Het duurt niet lang of beide autodeuren worden aan de buitenkant door agenten geopend. Sven wordt bij zijn linkerbovenarm gepakt. Een grote hand wordt op zijn hoofd gelegd. De hand dwingt hem om gebukt uit te stappen.
'We hebben het al gehoord', zegt de agent die hem nu beetheeft. Het is een lange vent in uniform, met opgeschoren haar. 'Jullie hebben ingebroken bij je eigen school. Wat stom! Daar hebben jullie niet lang over nagedacht zeker.'
'We hebben niet ...' begint Sven op boze toon.
'Ja, ja', zegt de lange agent. 'Loop nu maar gewoon mee.' Hij houdt Sven stevig bij de arm vast. Eva loopt al voor hen. Ook haar arm wordt vastgehouden.

'Verhoor 2 en 3 zijn vrij', roept de agent achter de balie als ze door de deur naar binnen lopen. Ze worden door een gang geleid. Aan beide kanten zijn kamers. Sven ziet naast de deuren lange ramen. Er staan bureaus in de kamers. In de gauwigheid ziet Sven er allemaal papieren op liggen. Dat zijn de kantoren zeker. Dan ziet hij aan de linkerkant een deur zonder raam ernaast, er staat 'verhoor 1' op. Bijna meteen wordt aan de rechterkant een deur opengegooid. De agent die Eva vastheeft, duwt haar erin. Ze kijkt nog even heel snel over haar schouder naar Sven. Ze ziet er bleek en betraand uit.
'Het komt goed', zegt hij snel. Eva's deur gaat dicht. De agent die hem vastheeft, opent een deur aan de linkerkant. Er floept meteen een lamp aan. De agent duwt Sven het kamertje in, naar een tafel.

Sven gaat aan het tafeltje zitten. De lange agent komt tegenover hem zitten. Dan schuift er een agente de kamer binnen. Ze sluit de deur behoedzaam. Ze geeft Sven een hand en zegt haar naam. Maar Sven vergeet 'm meteen weer van de zenuwen. De vrouw gaat naast haar collega zitten. Sven kijkt haar kort aan, dan dwaalt zijn blik door de kamer. Wat een kale ruimte is dit! Er staan alleen een tafel en wat stoelen. Er zitten ramen in de muur. Sven weet het wel: het zijn meekijkramen. Andere mensen kunnen hem zien, zonder dat hij hen ziet. Hij kijkt naar de agenten. Als zij niets zeggen, dan houdt hij ook zijn mond. Zij hebben hem onterecht opgepakt! De agente kijkt hem met een vriendelijke blik aan. Sven kijkt strak terug.
'Vertel eens wat er gebeurd is', stelt ze dan op rustige toon voor. 'We willen jouw kant van het verhaal horen.' Sven kijkt haar aan. Ze heeft bruin krullend haar en vriendelijke, donkerblauwe ogen. Sven zucht van opluchting. Eindelijk iemand die zijn verhaal wil horen en niet meteen denkt dat hij schuldig is.

Hij vertelt alles: van de afgepakte mobieltjes tot het luchtrooster. Over de pesterijen, de kapotte band en de bedreigingen tegen Eva. En hoe ze opgepakt werden toen ze dolblij waren dat ze eindelijk naar huis konden gaan.
Terwijl hij zijn verhaal doet, knikt de agente regelmatig. Sven kijkt af en toe ook naar de lange agent. Hij maakt allerlei aantekeningen in een notitieblok. Zijn blik wordt gaandeweg het verhaal ook minder streng. De agente staat als eerste op.
'We gaan je verhaal even checken. Het komt mij geloofwaardig voor, maar dat zegt niet altijd alles. Je moet nu wel razende honger hebben. Zal ik wat brood en drinken voor je meenemen?'
'Graag', zegt Sven.
'Oké, dan kom ik zo terug. Mijn collega gaat even overleggen met de agenten die jouw vriendin hebben gesproken. Als er wat is, moet je maar op deze knop drukken.' Ze wijst naar een rode knop naast het lichtknopje. De lange agent staat op. Hij pakt zijn notitieblok en loopt de kamer uit.
'Tot zo', zegt de agente, terwijl ze Sven aankijkt. 'Probeer je even wat te ontspannen. Als je echt de waarheid verteld hebt, hoeft het allemaal niet zo lang meer te duren.'

Sven heeft het idee dat hij nog maar een minuut alleen geweest is als de deur weer opengegooid wordt. Zou er nu al eten zijn? Maar dan komt zijn moeder op hem af gerend. Sven ziet dat ze gehuild heeft. Ze slaat haar armen om hem heen. Hij heeft niet eens de tijd om op te staan.
'Jongen, lieverd, Sven, wat heb je ons enorm in de zenuwen laten zitten. Waar was je toch? Martin is al uren bij ons! Wat is er gebeurd?'

De agente komt weer binnen. Ze draagt een dienblad met daarop een bord met boterhammen en een paar bekers drinken.

Sven verbaast zich over de hoeveelheid. Zo veel kan hij toch niet op! Maar dan gaat de deur weer open. Een bleke Eva stapt naar binnen. Achter haar loopt een echtpaar.
'Mijn ouders', zegt ze. Iedereen schudt elkaar de hand. Eva gaat naast Sven zitten. Ze kijkt hem verlegen aan.
'Gaat het?' vraagt Sven zacht.
'Jawel', fluistert Eva. 'Nu wel.'
De agente neemt het woord. 'Het is wel duidelijk wat er gebeurd is. Ik snap dat jullie hier allemaal gauw weg willen, maar ik denk dat Sven en Eva het beste aangifte kunnen doen tegen die jongens. Alleen op die manier kunnen ze gestraft worden.'

15

'Van Niels en Frank hebben we dus nooit meer last', lacht Sven. Hij houdt zijn hand op. Eva geeft er een klap tegen. 'Ik ben hartstikke opgelucht', zegt ze. 'Ik was dit weekend bang dat die vier rotjongens er alleen met een tijdelijke schorsing vanaf zouden komen. Ik weet niet of ik wel op school zou zijn gebleven als dat was gebeurd.'
Sven en Eva lopen door de school. Ze hebben net een gesprek met de rector gehad. Die heeft hen verteld dat de vier pesters niet meer welkom zijn op school en dat hen bovendien een taakstraf boven het hoofd hangt.

'Ga je vanmiddag mee naar Chester?' vraagt Sven. Hij voelt dat hij een kleur krijgt. Vandaag is het zijn Chesterdag. Maar hij vindt het wel leuk om samen te gaan.
Eva bloost.
'Samen?' vraagt ze dan. Ze strijkt verlegen met een hand door haar lange blonde haar.
'Ja, meteen uit school. We gaan dan even via mijn huis. Mijn ouders vinden het ook hartstikke leuk om je te zien. En dan gaan we naar de manege. We hoeven nu niet meer geheimzinnig te doen. Iedereen mag toch weten dat we vrienden zijn?' Sven kijkt haar verwachtingsvol aan.
'Vrienden?' zegt Eva. Ze glimlacht ondeugend.
'Meer dan vrienden, hoop ik.' Sven slaat zijn arm om haar heen. Ze kijkt hem met haar mysterieuze ogen aan. Dan geeft ze snel een kusje op zijn wang. Meteen duikt ze onder zijn arm weg.
'Oké, vriend,' grapt ze, 'vanmiddag gaan we samen naar de

manege. Maar dan moeten we nu wel gauw naar de les gaan. We hebben al een heel stuk gemist!'

'Wat een prachtige hengstenstaart heeft Chester!' Manegehoudster Marleen staat een paar dagen later bij de deur van de box. Ze knikt goedkeurend naar de vlecht die op de manenkam ligt. Sven staat bij Chester in de box. Hij is hem flink aan het borstelen. Nog even en dan moeten ze de bak in voor een springwedstrijd. Zijn pony moet er helemaal top uitzien.
'Eva heeft die vlecht zo mooi gemaakt', zegt Sven trots. 'Ze is er echt een kei in.' Hij pakt een handschoen die gemaakt is van vacht en gaat daarmee over de huid van Chester. De pony gaat helemaal glanzen.
'Waar is ze eigenlijk?' vraagt Marleen. Ze kijkt speurend door de box rond, net alsof ze verwacht dat Eva opeens tevoorschijn zal springen.
'Nee, ik heb haar hier niet verstopt', lacht Sven. 'Ze was iets vergeten. Dat is ze nu aan het ophalen.' Hij denkt even na.
'Ik heb eigenlijk geen flauw idee wat ze nou ging halen', zegt hij dan.
'Ze is vast wel weer op tijd terug voor de wedstrijd', stelt Marleen hem gerust. 'Ze wil veel te graag zien hoe Chester en jij het er vanaf brengen.'

'Ik ben er weer.' Eva komt een halfuurtje later de stal in lopen. Haar hele gezicht straalt.
'Wat moest je nog thuis?' vraagt hij nieuwsgierig. Hij kijkt haar over de pony aan.
'Ja, dat zou je wel willen weten', doet ze geheimzinnig. 'Maar het is nog een verrassing. Straks na de wedstrijd weet je het ... of misschien wel eerder.'
Sven kijkt op zijn horloge. Halfdrie. Hij moet bijna gaan inrijden.

'Kun jij even bij Ches blijven', vraagt hij dan. 'Ik moet de wedstrijdkleding aantrekken en ik wil even naar de wc.'
'Oké', zegt Eva. Ze heeft weer die geheimzinnige grijns op haar gezicht.
Hij loopt gebukt onder Chesters hoofd door. Hij komt vlak langs Eva. Ze blijft grijnzen, hij voelt zich er ongemakkelijk onder. Houdt ze hem voor de gek?
'Ik zorg er echt voor dat hij netjes blijft. Neem de tijd, het komt wel goed', zegt ze dan geruststellend.
Sven loopt de stal uit, naar het kantoortje van Marleen. Hij pakt zijn wedstrijdkleding en kleedt zich om op het toilet.

Sven loopt in zijn witte rijbroek, witte overhemd met stropdas en zwarte wedstrijdjasje over het manegeterrein naar het stallencomplex. Het is lekker druk. In de buitenbak rijden al wat andere ruiters, die zo de binnenbak in moeten om de springproef te doen. Er rijdt ook al iemand binnen, want hij hoort een applaus aanzwellen.
Hij voelt zich zenuwachtig. Het is een tijd geleden dat hij aan een springconcours meedeed. Hij had er te weinig tijd voor. Maar Eva heeft hem aangemoedigd met de wedstrijd mee te doen. Sterker nog, ze heeft hem gewoon opgegeven bij Marleen. Tja, en toen wilde hij natuurlijk niet kinderachtig zijn. Maar of hij kan winnen?

Hij loopt de hoek van de stal om, naar de box van Chester. Als hij aankomt, ziet hij net dat Eva de box weer in loopt. Ze heeft toch wel goed op Ches gelet? Hij voelt zich boos worden. Snapt ze het dan niet? Hij heeft nu geen tijd meer om Chester nog verder te poetsen en bij een wedstrijd krijg je ook altijd punten voor de verzorging.
'*Surprise, surprise!*' Plotseling komt er een groep mensen uit de zadelkamer, die schuin tegenover de box van Chester ligt. Ze

zwaaien met hun armen. Dan ziet hij wie het zijn: Daan, Rob, Joost, Thijs en Chantal. Zijn klasgenoten. Dus dat was Eva's verrassing! Hij kijkt haar aan. Ze staat te lachen, terwijl ze de zenuwachtige Chester stevig aan de teugels vasthoudt.
'Leuke manege', schettert Rob. Hij stuitert door het gangpad, net als in de klas.
'Mooi paard, man', zegt Joost. Hij wijst naar Chester.
'Wat zie je er geweldig uit.' Chantal voelt met haar hand over het wedstrijdjasje.
'Ben benieuwd hoe je rijdt.' Thijs slaat hem met zijn hand op de schouder.
Sven kijkt naar Daan, die nog steeds niets gezegd heeft.
'Ik ben nog nooit op een manege geweest', zegt hij dan. Hij kijkt er verwonderd bij.
'Wat vind je ervan?' Sven kijkt Daan nieuwsgierig aan, hij is wel heel benieuwd naar zijn mening.
'Ik vond het eigenlijk een meidensport', lacht Daan. 'Maar ik besefte hier net dat ik niet graag bij een paard in de box zou gaan. Ik heb geen idee wat 'ie doet en dat maakt het eng. Maarreh ... je komt hier leuke meiden tegen!' Daan geeft Sven een knipoog.
'Sven, je moet gaan inrijden.' Marleen komt de stal even binnen en draait zich meteen weer om als ze de boodschap heeft doorgegeven.
'Ik moet gaan, jongens. Kijken jullie zo ook in de binnenbak?' vraagt Sven. Hij vindt het leuk om hen te laten zien wat hij kan. Cool dat ze zijn gekomen! Hij loopt de box van zijn pony binnen om hem mee te nemen. Eva geeft Chester nog een knuffel.
'Je kunt het, jongen, ga ervoor!' fluistert ze tegen het dier. 'En jij veel succes, Sven!' Ze geeft de teugels over aan Sven en knikt hem toe. Hij doet de boxdeur wijd open en loopt dan naar de buitenbak.

Als Sven na het inrijden in de buitenbak naar binnen wordt gehaald, voelt hij dat hij gespannen is. Hij heeft nog nooit zo veel kijkers gehad die speciaal voor hem kwamen! Niet aan denken, zegt hij tegen zichzelf. Probeer je echt alleen te concentreren op de hindernissen.
Hij rijdt stapvoets de bak in, groet de jury en begint dan met de proef. Chester reageert makkelijk en snel op de aanwijzingen. De eerste drie hindernissen gaan prima, Sven voelt zijn vertrouwen toenemen. Hij gaat dit redden! Hij galoppeert rustig op de vierde hindernis aan, een dubbel kruis. Opeens worden zijn ogen als door een magneet naar de tribune getrokken. Hè, dat kan niet waar zijn! Zijn vader is er!
Sven kijkt iets te lang en verliest zijn concentratie. Hij vergeet op tijd beenhulpen te geven. Chester springt, maar komt net te vroeg neer. Het achterste kruis valt met veel geraas om. Dat brengt Sven weer bij zijn positieven. Als hij het goed wil doen, moet hij zich beter concentreren op de hindernissen! Niet denken aan zijn vader, dat kan straks wel.
Hij galoppeert op de muur aan. Hup, Chester gaat er met gemak overheen. Sven rijdt naar de laatste hindernis. Deze moet hij goed nemen. De laatste kans om nog in de prijzen te vallen. Hij let goed op, gaat op het juiste moment in zijn beugels staan. De sprong. En ... daar komen ze weer neer. Sven neemt Chester terug naar draf en dan naar stap. Een keurige groet aan de jury. Dan stijgt hij af en loopt onder daverend applaus met zijn pony naar de uitgang. Zijn ogen speuren de tribune af. Zijn vader zit er echt!

Sven loopt met Chester terug naar de stal. Eva komt er ook aan. 'Het ging hartstikke goed', zegt ze opgewonden. 'Alleen jammer van die ene hindernis. Maar ik heb net van Marleen gehoord dat er nog maar één foutloze is geweest in jouw categorie.' Ze kijkt hem stralend aan.

'Mijn vader', stamelt Sven. Hij kan aan niets anders denken. 'Mijn vader is er!'
Eva knikt enthousiast. Ze lijkt helemaal niet verbaasd te zijn. 'Ja, dat hoorde nog bij de verrassing. Ik vond het leuk als je vrienden je eens zagen rijden, maar ik wilde ook dat je vader erbij zou zijn. Je moeder kwam op het idee om Martin te vragen. Hij wilde haar wel helpen om je vader in de auto te krijgen en hierheen te gaan. Ga maar bij ze kijken. Ik ga Chester wel even goed poetsen en belonen.' Ze neemt de teugels van hem over en stapt met Chester weg.

Wat een lieve meid is die Eva toch! Helemaal te gek dat ze zomaar zo'n verrassing voor hem bedenkt. Sven voelt zich gelukkiger dan ooit. Hij loopt naar de tribune van de binnenbak. Zitten ze er nog? De deur naar de tribune zit dicht. Maar net als Sven de deur wil vastpakken, zwaait die open. Eerst stapt zijn moeder erdoor, dan komt de rolstoel met zijn vader erin. En achter de rolstoel loopt een grijnzende Martin.
'Wat geweldig dat jullie er zijn!' Sven loopt naar zijn vader en geeft hem een hartelijke klap op zijn schouder. Hij wil doorlopen naar zijn moeder, maar zijn vader houdt hem even vast aan zijn jasje. 'Het spijt me dat ik zo weinig belangstelling voor je paardrijden heb getoond na het ongeluk. Ik wist dat het belangrijk voor je is, maar ik zat met mezelf in de knoop. Ik hoop dat je me wilt vergeven.' Sven voelt dat hij verlegen wordt. Wat moet hij zeggen?
'Ik vind het echt heel leuk dat jullie hier zijn. Ik had het helemaal niet verwacht.'
Hij loopt naar zijn moeder, slaat zijn armen om haar heen en houdt haar even stevig vast. 'Je smoort me zowat', lacht mama. 'Maar ik vind het prachtig dat onze verrassing zo goed geslaagd is. Het was best lastig om "nee" te zeggen, toen je me vanochtend vroeg of ik dan in ieder geval wilde komen. Toen je zo

teleurgesteld keek, kon ik het bijna niet voor me houden.'
Sven schiet ook in de lach. Hij laat mama los. Dan geeft hij Martin een por.
'Cool, dat je dit voor me doet, man!' zegt hij vanuit de grond van zijn hart. Martin lacht.
'Het logeerweekend was natuurlijk toen wel wat te kort door dat gedoe met de politie', zegt hij dan. 'Je moeder vond dat ik in de herkansing mocht. Ik blijf morgen ook nog.'

'Ik wil eigenlijk wel even Chesters stal bekijken', zegt papa dan. Hij kijkt naar Sven op. Sven knikt.
'Kom maar mee, dan laat ik jullie alles zien.' Hij gaat achter de rolstoel lopen en rijdt ermee naar de stal. Als hij de deur van het stallencomplex binnen wil gaan, komen Daan, Chantal, Joost, Rob en Thijs eraan. Ze lopen met elkaar te dollen. Sven verstijft. Hij had helemaal niet meer aan hen gedacht. Opeens herinnert hij zich al zijn leugens. Hoe moet hij zich hier nu uit redden? Hij aarzelt, zet dan de rolstoel stil. Dan ziet hij Eva uit de stal komen. Ze knikt hem toe. Het is net alsof ze hem zonder woorden duidelijk wil maken dat hij nu open kaart moet spelen. Hij loopt achter de rolstoel weg, naar zijn klasgenoten.
'Hé, jullie hebben mijn ouders nog nooit gezien. Maar dit zijn ze nou. Mijn moeder ...' Hij wijst. '... en mijn vader!' Hij gaat terug naar de rolstoel en slaat een arm om zijn vader heen. Dan kijkt hij naar zijn klasgenoten. Hij ziet de verbijstering op Robs gezicht, het ongeloof in Daans ogen. Hij heeft veel uit te leggen, maar dit is niet het moment.

'Kom je, Sven?' Marleen staat stil bij het groepje. Haar gezicht straalt. 'De prijsuitreiking begint zo. Je hebt zilver gewonnen. Fantastisch!' Ze loopt op Svens ouders af. 'Fijn dat u hier bent. Ik wilde u altijd al graag eens ontmoeten. U zult vast trots zijn op uw zoon.'

Svens vader knikt. Voor het eerst sinds het ongeluk ziet Sven zijn vader weer voluit lachen.
'Ja, het is ongelooflijk wat Sven allemaal doet en regelt. En soms heb ik het idee dat ik de helft nog niet eens weet', zegt papa dan met een dikke knipoog. Hij kijkt naar Sven en dan naar Eva, die inmiddels naast Sven staat. Sven voelt dat hij rood wordt. Hij ziet Martin naar hem grijnzen. Dan slaat hij zijn arm om Eva heen.
'Kom,' zegt hij en hij kijkt haar lachend aan, 'die prijs is net zo goed voor jou. We gaan 'm samen ophalen.'

Ben jij een jonge mantelzorger?

Als je thuis een langdurig ziek gezinslid hebt, ben je een jonge mantelzorger.
Op de volgende sites vind je meer informatie:

Verhalen en filmpjes:
http://www.mezzo.nl/jong_zorgen

Hyves:
http://jongemantelzorgers.hyves.nl